上級レベル

ロールプレイで学ぶ
ビジネス日本語

村野節子・山辺真理子・向山陽子 著

グローバル企業でのキャリア構築をめざして

スリーエーネットワーク

©2012 by MURANO Setsuko, YAMABE Mariko, and MUKOYAMA Yoko

All rights reserved. No part of this publication may be reproduced, stored in a retrieval system or transmitted in any form or by any means, electronic, mechanical, photocopying, recording, or otherwise, without the prior written permission of the Publisher.

Published by 3A Corporation.
Trusty Kojimachi Bldg., 2F, 4, Kojimachi 3-Chome, Chiyoda-ku, Tokyo 102-0083, Japan

ISBN978-4-88319-595-4 C0081

First published 2012
Printed in Japan

はじめに

本書は、日本企業や海外の日系企業のビジネスの現場で必要とされる能力を養成するための日本語教材です。就業経験のない学習者の使用を意識して作成しましたが、既に企業で働いている学習者の方にも使用していただけます。私たちはこの5年間、ビジネス日本語会話の授業を担当する中で、留学生がグローバルに活躍できるようになるためには、在学中にどのような能力を身に付ければいいのだろうかということを考え続けてきました。そして、教育実践と研究を重ねる中で、ビジネス日本語能力、社会人基礎力、異文化調整能力の3つの能力を養成する必要があるという結論に到達しました。本書はこのような教育実践、研究に基づいて作成したものです。

本書は、各課ともビジネス日本語能力を養成するための「ビジネス会話の流れを学ぼう」と、異文化理解に焦点を当てた「企業文化について考えよう」の2つのパートから構成されています。これまでのビジネス日本語教材と本書の最も大きな違いは、異文化理解に焦点を当てたケーススタディとロールプレイを取り入れたことです。日本の企業文化は学習者にとって異文化です。学習者はその中で起こり得る状況下で、自分だったらどのような言動をとるのかを考え話し合うことで、異なる文化、多様なものの見方の存在に気づきます。「企業文化について考えよう」はそのような異文化理解能力の養成を目的としたものです。つまり、本書はビジネス日本語の運用能力だけでなく、考える力、異文化理解能力も併せて養成することを目指しています。

本書が完成するまでに、武蔵野大学大学院ビジネス日本語コースの関係者の方々にご協力をいただきました。特に私たちの試みを温かく見守ってくださったコース長の堀井惠子先生、試作版の録音にご協力くださった村澤慶昭先生、留学生学習カウンセラーの種村政男さん、教材に対するフィードバックをくださった留学生の皆様には心より感謝申し上げます。また、モデル会話を作成するに当たり、業務の流れ、会話の流れについてアドバイスをお願いした小松崎隆一さんにも厚くお礼申し上げます。そして、最後になりましたが、本書がこのような形になるまで様々な助言をしてくださった株式会社スリーエーネットワークの服部智里さんに深く感謝いたします。

本書が日本語で仕事をすることを希望している学習者の皆様、また、既にビジネスに携わっている学習者の皆様のお役に立つことを願っています。多くの方々にお使いいただければ幸いです。

2012年5月
筆者一同

目次

はじめに
本書のねらい··(007)
本書の構成・特徴··(008)
本書の使い方··(011)
授業展開の具体例···(012)
本書に登場する会社と人物··(014)
モデル会話の内容···(018)

1課 ビジネス会話の流れを学ぼう ···002
  自己紹介を行う（社内）　コラム　自己紹介
企業文化について考えよう ···007
  ケーススタディ　私の言い分 ──「私は能力がある人間です」
  異文化ロールプレイ「自慢話(じまんばなし)と自己アピール」

2課 ビジネス会話の流れを学ぼう ···010
  自己紹介を行う（社外）　コラム　雑談(ざつだん)（世間話）の話題
企業文化について考えよう ···019
  ケーススタディ　私の言い分 ──「お茶くみは誰の仕事？」
  異文化ロールプレイ「仕事の範囲」

3課 ビジネス会話の流れを学ぼう ···022
  電話を受ける　1. 担当者に取り次ぐ　　2. 伝言を受ける
  コラム　電話対応の基本
企業文化について考えよう ···032
  ケーススタディ　私の言い分 ──「家庭と仕事、どっちが大事？」
  異文化ロールプレイ「休暇の申請」

4課 ビジネス会話の流れを学ぼう ···036
  アポイントを取る　　1. アポイントを取る　　2. アポイントを変更する
企業文化について考えよう ···045
  ケーススタディ　私の言い分 ──「会議で使う資料はいつまでに作ればいい？」
  異文化ロールプレイ「指示の仕方」

5課 ビジネス会話の流れを学ぼう ……048
会議に参加する
企業文化について考えよう ……055
ケーススタディ　私の言い分 ―― 「沈黙（ちんもく）は金？」
異文化ロールプレイ「ミーティングでの発言」

6課 ビジネス会話の流れを学ぼう ……058
クレームを受ける　コラム　クレーム対応の表現
企業文化について考えよう ……065
ケーススタディ　私の言い分 ―― 「どうして謝らなきゃいけないの？」
異文化ロールプレイ「謝罪（しゃざい）」

7課 ビジネス会話の流れを学ぼう ……068
クレームを報告する
企業文化について考えよう ……075
ケーススタディ　私の言い分 ―― 「もう解決したんじゃないの？」
異文化ロールプレイ「報告〜解決済みの小さなトラブル」

8課 ビジネス会話の流れを学ぼう ……078
クレームを処理する
企業文化について考えよう ……085
ケーススタディ　私の言い分 ―― 「報連相（ほうれんそう）は大事？」
異文化ロールプレイ「報告・連絡・相談」

9課 ビジネス会話の流れを学ぼう ……088
会議で提案する（販売促進（そくしん））　コラム　人を呼ぶ時の「君、さん」使い分け
企業文化について考えよう ……096
ケーススタディ　私の言い分 ―― 「情報の共有って？」
異文化ロールプレイ「メールでの情報の共有」

10課 ビジネス会話の流れを学ぼう ……100
新規顧客（こきゃく）を開拓する
企業文化について考えよう ……106
ケーススタディ　私の言い分 ―― 「人前（ひとまえ）で怒るなんて！」
異文化ロールプレイ「メンツ〜人前（ひとまえ）での叱責（しっせき）」

11課　ビジネス会話の流れを学ぼう ·· 110
　　　新規顧客とアポイントを取る
　　企業文化について考えよう ·· 119
　　　ケーススタディ　私の言い分 ──「目標は高いほうがいいに決まっているじゃない？」
　　　異文化ロールプレイ「目標設定と評価」

12課　ビジネス会話の流れを学ぼう ·· 122
　　　商品を売り込む　　コラム　会社名等につける敬称「さん」
　　企業文化について考えよう ·· 130
　　　ケーススタディ　私の言い分 ──「能力だけじゃいけないの？」
　　　異文化ロールプレイ「同僚の昇進と不満」

13課　ビジネス会話の流れを学ぼう ·· 134
　　　催促の電話をかける
　　企業文化について考えよう ·· 141
　　　ケーススタディ　私の言い分 ──「縁故採用のどこが問題？」
　　　異文化ロールプレイ「コネ〜縁故採用」

14課　ビジネス会話の流れを学ぼう ·· 144
　　　交渉を進める
　　企業文化について考えよう ·· 153
　　　ケーススタディ　私の言い分 ──「残業は当たり前？」
　　　異文化ロールプレイ「残業」

15課　ビジネス会話の流れを学ぼう ·· 156
　　　受注に成功する
　　企業文化について考えよう ·· 163
　　　ケーススタディ　私の言い分 ──「最高の接待はお腹がすくもの？」
　　　異文化ロールプレイ「接待」

別冊　「語彙・表現」　解答

補助教材コンテンツ　「企業文化について考えよう」　授業のヒント（教師用）
http://www.3anet.co.jp/ja/3143/

本書のねらい

◆ビジネス日本語能力・社会人基礎力・異文化調整能力の養成

　現在日本では企業のグローバル化に伴い、優秀な外国の人材を必要としています。こうした状況の中で日本企業や海外の日系企業に就職を希望する日本語学習者は、ビジネスの現場で通用する日本語能力とともに、社会人基礎力（前に踏み出す力・考え抜く力・チームで働く力）、異文化調整能力（異文化を十分に理解し、異文化接触場面で起こる複雑な状況下で課題を遂行する能力）が求められます。本書はこれらの能力を総合的に養成することを目指しています。

◆ビジネス社会へのソフトランディング

　ビジネスの現場では、場面に合った適切な行動を取れることが非常に重要です。そのためには、問題が起こった時に何が問題になっているのか、その問題をどのように解決していくべきかを考える力が不可欠です。つまり、ビジネス場面では問題発見・解決能力があって初めて適切な発話行動ができるのです。本書では、外国人が日系企業に就職した場合に遭遇するような問題に焦点を当て、ケーススタディやロールプレイという方法で考える練習を繰り返します。考える力があれば、就職後に本書で取り上げていない状況に遭遇した場合でも、臆することなく対処することができるでしょう。本書はビジネス日本語能力に加え、日本の企業文化について考える活動を通して社会人基礎力や異文化調整能力の基盤である問題発見・解決能力を養成し、実務経験のない日本語学習者の実社会へのソフトランディングを助けることを目指しました。

本書の構成・特徴

　本書は15課からなり、各課は「ビジネス会話の流れを学ぼう」と「企業文化について考えよう」の2つのパートに分かれています。それぞれのパートに含まれる内容は次の表に示す通りです。

ビジネス会話の流れを学ぼう	①	フローチャート	会話展開の図示
		モデル会話	会話例
		語彙・表現	モデル会話中の重要表現
	②	ロールプレイ	モデル会話のロールプレイ 場面や状況を変えたロールプレイ
企業文化について考えよう	③	ケーススタディ　私の言い分	企業文化を考えるケーススタディ
		異文化ロールプレイ	異文化理解が必要とされる 複雑な状況でのロールプレイ

◆ビジネス会話の流れを学ぼう

　ここはビジネス日本語能力養成の基礎として位置付けているパートです。①「フローチャート」「モデル会話」「語彙・表現」と②「ロールプレイ」から構成されており、これらの学習を通してビジネス場面における基本的会話能力が身に付くように活動を組み立ててあります。

　「モデル会話」の主人公は日本の大学を卒業した中国人新入社員です。担当課に配属され、少しずつ仕事を覚えて、業務を任されるようになるまでの過程を1課から15課に組み込みました。業務について全く知識がない日本語学習者も、この「モデル会話」の学習を通して、ビジネス場面の日本語だけでなく、仕事についての基礎的な知識も身に付けることができます。「モデル会話」は、貿易業務を行っているプラスティック関連製品を扱う専門商社が舞台になっています。貿易業務と言っても、業種により業務内容は異なりますので、本書ではどのような業種にも共通する大まかな仕事の流れを押さえました。

　「フローチャート」は「モデル会話」再生の手がかりとして利用することを目的としています。「フローチャート」に示された会話の流れや情報を参考にしながら、自分の力で会話を再生することで会話能力が養成されます。

　「語彙・表現」では、「モデル会話」の重要語彙・表現を1課につき6〜9個程度取り上げ、それらを使ったビジネスや社会問題などに関連する例文を基本的に3つずつ提示しています。そして、ビジネスでの重要度が高く、かつ、学習者の誤用が多く見られる

ものには練習問題や解説を付けています。このパートでは主にビジネス関連の語彙・表現についての知識を身に付けると同時に、さらにその知識を運用可能なレベルに引き上げることを目指しています。

「ロールプレイ」は2種類あります。モデル会話の内容に即したロールプレイ**1**と、その応用として場面や状況の設定に多少変更を加えたロールプレイ**2**です。これらのロールプレイでは、ロールカードの情報から学習者自身で考えて状況に応じた会話をすることが要求されます。このような練習を繰り返すことが会話能力の向上に繋がります。特にロールプレイ**2**では、「モデル会話」を通して学んだ表現や会話の流れを異なる場面で使用する練習ができるため、より一層の効果が期待できます。

◆企業文化について考えよう

ここは異文化の一種である企業文化について考えを深めることを目標にしたパートです。異文化理解の視点を取り入れた「ケーススタディ　私の言い分」と日本の企業で起こり得る状況を設定した「異文化ロールプレイ」で構成されています。ただし、ここで目指しているのは日本の企業文化を学び、それに則って行動ができるようになることではありません。提示された状況において問題となっていることは何なのか、自分だったらどのような行動を取るのかといったことを考え、話し合うことを通して、異文化・企業文化の理解を促進することを目的としています。

「ケーススタディ　私の言い分」ではさまざまな文化的背景を持つ人たちのケースを取り上げました。提示された状況の問題点を把握し、問題を解決するためにはどのように行動すべきかを考えることが活動の目的となります。同じ課の「異文化ロールプレイ」と関連を持たせてあり、ここで考えを深めることによってロールプレイの発話に対する学習者の意識を高めることができます。この活動の中で学習者は自文化、日本文化を見つめ直し、自分の考えを言語化する作業をします。

「異文化ロールプレイ」は、企業文化や異文化をどのように理解するかによりさまざまな展開が考えられます。つまり、正解はありません。学習者はロールカードに提示された状況の問題点について考えたり話し合ったりし、それを基に会話を組み立てます。したがって、学習者は会話の内容も使用する語彙・表現もすべて自分で決定することが求められます。(このように使用すべき日本語表現が提示されず、タスクの遂行が主目的であるロールプレイを「タスク先行型ロールプレイ」と言います。)ケーススタディやタスク先行型ロールプレイを採用することで、学習者の問題発見・解決能力、課題遂

行能力を養成することを狙っています。なお、「異文化ロールプレイ」では「モデル会話」の舞台とした専門商社とは異なるIT業、観光業、輸入小売業を取り上げました。これら3業種を取り上げたのは、比較的多くの外国人が就職する業種であること、学習者にとってイメージしやすいことなどの理由からです。

　本書の活動とそのねらいを図にまとめると次のようになります。

　これらの活動を通して、学習者はビジネスの現場で求められる能力を身に付けることができます。

活動	ねらい
ケーススタディ 異文化ロールプレイ	問題発見・解決能力の養成 課題遂行能力の養成 異文化・企業文化の理解
ロールプレイ1・2	課題遂行能力の養成 会話能力の向上
モデル会話 語彙・表現	仕事の流れの理解 ビジネス表現の習得 会話能力の養成

本書の使い方

◆学習時間

　学習者の日本語能力レベルやニーズ、クラスサイズによってさまざまな使い方ができます。基本的には大学の授業回数に合わせ、週1回（90分）、前後期各15回、1年間のクラス学習を想定しています。

◆教師の役割

　「ビジネス会話の流れを学ぼう」はビジネス日本語能力の育成を主たる目標としています。そのため、ビジネス場面での語彙・表現、会話の流れなどを意識して指導していく必要があります。

　それに対し、「企業文化について考えよう」は異文化調整能力の育成が大きな目標です。そのためには、学習者は自ら問題となっていることを見極め、解決方法を考え、そして会話を構築していくという過程を経験する必要があります。したがって、教師は学習者からの自発的な発話を基に授業を進め、学習者の手助けをするファシリテーターとしての役割が大きくなります。

◆「ビジネス会話の流れを学ぼう」「企業文化について考えよう」の使い方

　各課の「ビジネス会話の流れを学ぼう」と「企業文化について考えよう」の内容は必ずしも対応しているわけではありません。「ビジネス会話の流れを学ぼう」は時系列の出来事で構成されているので、1課から順番に学習することが効果的ですが、「企業文化について考えよう」は内容も独立しており、難易度にも差がないので、モジュール式にどの課からでも使うことができます。

　時間数の制約で、ビジネス日本語能力の養成のみに焦点を当てる場合は、各課の「ビジネス会話の流れを学ぼう」だけを使うことも可能です。あるいは、「ビジネス会話の流れを学ぼう」を3～4課分学習した後で「企業文化について考えよう」を1つ学習するというようなコースデザインも可能です。また、一定のビジネス日本語能力がある学習者を対象として、社会人基礎力と異文化調整能力の養成を重点的に行いたい場合（たとえば企業内教育）には「企業文化について考えよう」だけ使うことも可能です。

授業展開の具体例

どのように授業を進めていくかは、学習者の人数、日本語能力レベル、カリキュラムに合わせて教師が考える必要があります。以下に、参考として主に大学や大学院のクラス授業において2コマ（1コマ90分）で1課進むという比較的丁寧な授業の展開例を、「学習者がすること」と「教師がすること」に分けて示しました。学習の成果を上げるためには授業時間外の課題も必要なので、授業前、授業後の欄を設け課題についても言及しました。

◆ビジネス会話の流れを学ぼう（90分）

時間	本書の該当部分	学習者がすること	教師がすること
授業前	モデル会話 語彙・表現	・CDを聞いて、会話の内容を理解する。 ・テキストを読み、練習問題を解く。	
5分		導入	学習する課の内容を、1―15課の流れの中で確認する。登場人物の所属等を確認する。
5分	モデル会話		会話の流れと内容理解を確認する。
10分	語彙・表現	不明点、疑問点をクラス全員で考える。	重要事項を確認する。練習問題をクラス内で確認する。（学習者のレベルに応じて必要な部分を取り上げる）
5分	モデル会話	CDを聞き、会話の流れと表現を確認する。シャドーイング*をする。	拍、アクセント、イントネーション、スピード、間の取り方などを意識させる。
5分	フローチャート	CDを聞きながら、会話の流れを再度確認する。	学習者が会話を自分で組み立てられるようになることを目指し、会話の流れを頭に入れるよう促す。
20分	ロールプレイ❶	ペア練習（役を交替しながら）	教室内を回りながら、練習状況を見守る。「モデル会話」をそのまま読まないよう注意する。会話の流れを作れない学習者にはフローチャートの流れと補足説明（発話すべきポイントやヒント等）を参照するよう促す。
20分	ロールプレイ❷	ペア練習（役を交替しながら）	教室内を回りながら、練習状況を見守る。会話の展開が行き詰っているペアには、ロールカードの状況をフローチャートに当てはめて会話の流れを作ってみるよう指示する。
15分	ロールプレイ❷	発表（数組）	会話の発表は、ペア練習と違う組み合わせで行う。2番目以降の発表ペアは前の組で得られたアドバイスを意識して、ロールプレイをするよう指示する。不適切な表現、不自然な展開等について学習者のコメントを求め気づきを促す。

5分		まとめ	
授業後		・CDを聞き音読練習をする。拍、アクセント、イントネーション、スピード、間の取り方などを意識し、滑らかに発話できるよう練習を重ねる。 ・自然な発音を身につけるために、毎日シャドーイング*をする。	

*シャドーイングとはCDの発話を1秒ぐらいの時間差をつけて発話していく練習です。最初のうちは言える部分が少ないですが、回数を重ねるとCDの発話を追いかけて言えるようになります。

◆企業文化について考えよう（90分）

時間	該当部分	学習者がすること	教師がすること
授業前	ケーススタディ	テキストを読み、設問について考える。	
5分		導入	その日のテーマや扱う業種等について関連する生の話題を話す。
25分	ケーススタディ	設問を基にクラス全体でディスカッションをする。	QAにより内容理解を確認する。 出身地等文化的背景の違う学習者自身が異文化間で起こる問題について考えを深められるように、活発な意見交換を促す。
5分	異文化ロールプレイ	登場人物設定を把握してから、ロールカードを読み、役割内容を理解する。	登場人物設定とロールカードの内容が理解できているか、QAにより確認する。
20分	異文化ロールプレイ	ペア練習	クラス内を回り、質問を受け、アドバイスをする。
30分	異文化ロールプレイ	発表（数組）と意見交換	①練習のペアで発表させ、展開内容について、他の可能性があるか意見交換を促す。次に、言語表現について学習者のコメントを求め、不適切な場合は、コメントする。 ②練習ペアではない相手とロールプレイをさせ、予測できない展開への対応力を養う。①と同様に、内容面、言語面について、意見交換とアドバイスを行う。（学習者の日本語レベルが低い場合や、口頭表現での反応が遅い場合は、会話作成をクラス活動前の宿題にすると、会話展開の活性化が可能。）
5分		まとめ	
授業後		展開順序に沿って会話を書き、提出する。	言語形式等を添削し、後日返却する。パターン化した誤用については次回のクラスで確認する。

本書に登場する会社と人物

◆ビジネス会社の流れを学ぼう

◇会社紹介　YMプラスティックス株式会社

「YMプラスティックス」は、コンビニエンスストア、外食産業、食品メーカー、文具メーカーなど向けに容器包装材料、用度品、文具関連資材、看板など、プラスティック製品の製造、輸入販売を行っています。社員100名の中堅専門商社です。本社は東京にあり、大阪と福岡に支店があります。海外拠点として中国上海に事務所があります。数か月後には名古屋支店を開設する予定です。ビニール袋や用度品・文具関連資材は、提携先である上海・深センにある中国工場およびシンガポール工場で大部分を製造し、輸入しています。

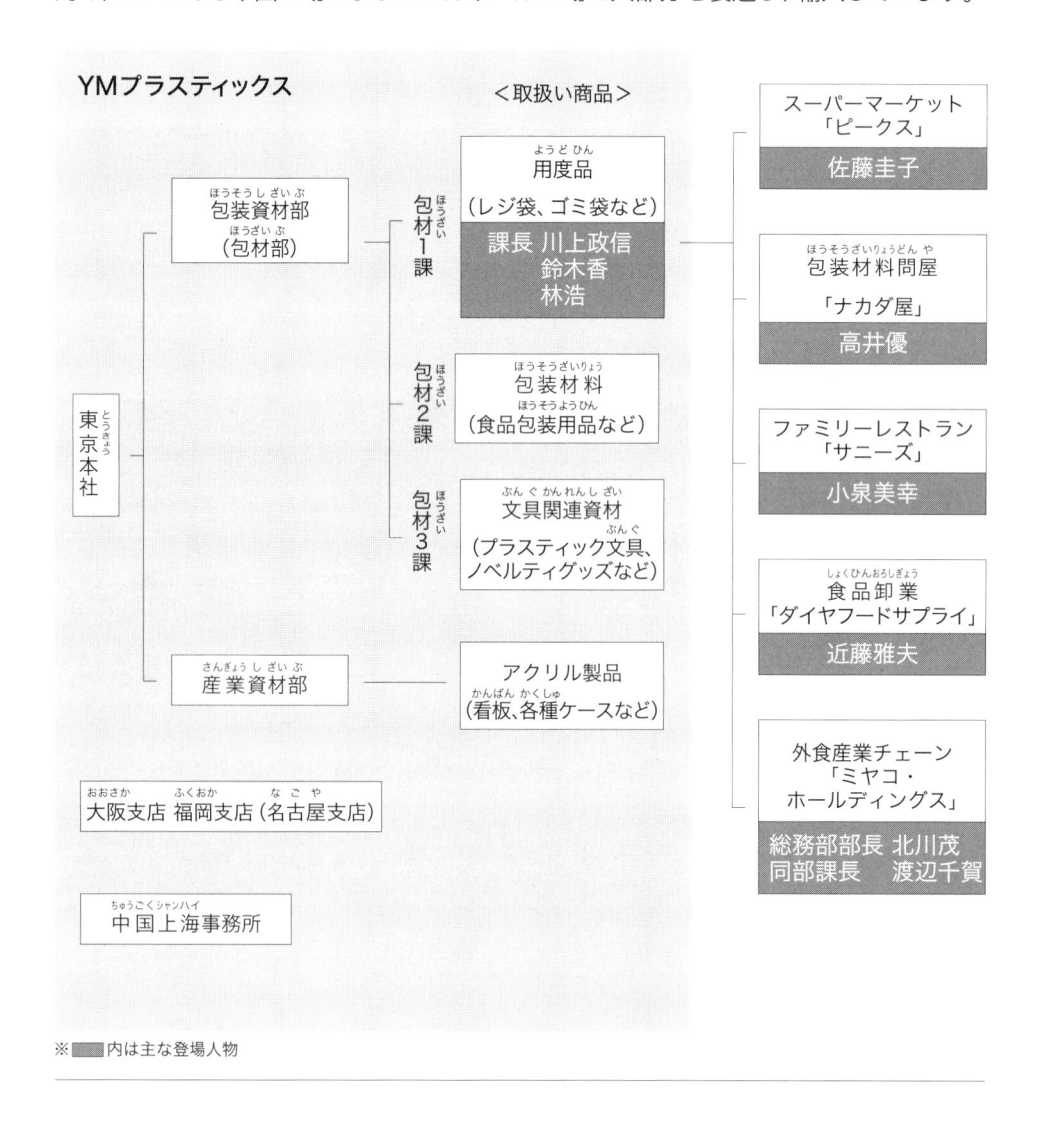

YMプラスティックス

東京本社
- 包装資材部（包材部）
  - 包材1課　用度品（レジ袋、ゴミ袋など）
    - 課長 川上政信
    - 鈴木香
    - 林浩
  - 包材2課　包装材料（食品包装用品など）
  - 包材3課　文具関連資材（プラスティック文具、ノベルティグッズなど）
- 産業資材部
  - アクリル製品（看板、各種ケースなど）

大阪支店　福岡支店（名古屋支店）

中国上海事務所

＜取扱い商品＞

- スーパーマーケット「ピークス」
  - 佐藤圭子
- 包装材料問屋「ナカダ屋」
  - 高井優
- ファミリーレストラン「サニーズ」
  - 小泉美幸
- 食品卸業「ダイヤフードサプライ」
  - 近藤雅夫
- 外食産業チェーン「ミヤコ・ホールディングス」
  - 総務部部長　北川茂
  - 同部課長　　渡辺千賀

※　　内は主な登場人物

◇仕事と商品（製品）の流れ ── YMプラスティックス

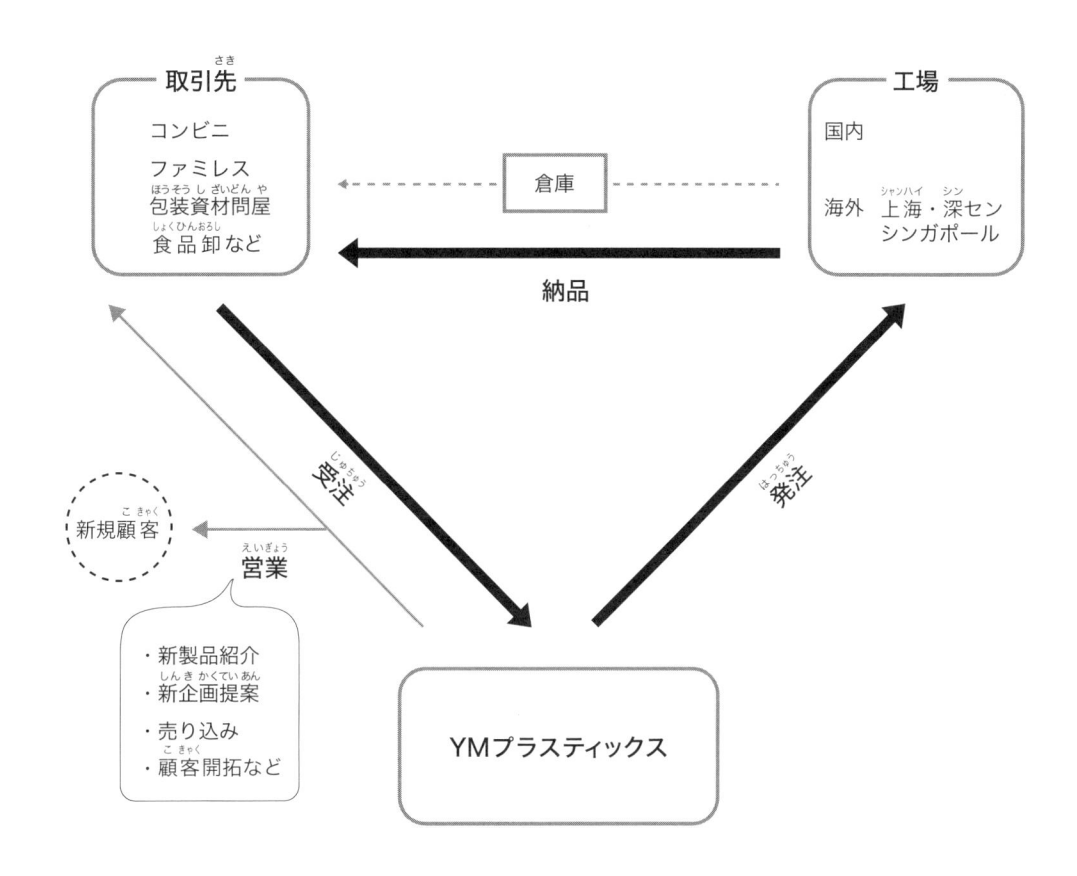

取引先
- コンビニ
- ファミレス
- 包装資材問屋（ほうそうしざいどんや）
- 食品卸（しょくひんおろし）など

工場
- 国内
- 海外　上海（シャンハイ）・深セン（シン）　シンガポール

倉庫

納品

発注（はっちゅう）

受注（じゅちゅう）

新規顧客（しんきこきゃく）

営業（えいぎょう）
- ・新製品紹介
- ・新企画提案（しんきかくていあん）
- ・売り込み
- ・顧客開拓（こきゃくかいたく）など

YMプラスティックス

◆企業文化について考えよう（異文化ロールプレイ）

◇ツーリスト・ジャパン（1,5,7,8,11課）── 旅行業

本社は東京で、中国、韓国をはじめアジア各国からの観光客受け入れ、および日本人観光客の送り出しを行う社員160名の旅行代理店です。上海(シャンハイ)事務所、ソウル事務所、クアラルンプール事務所があり、海外からの観光客増加に伴いアジアを中心とする人材を社員として採用しています。

◎企画課

佐藤清美（営業企画課・課長）

沢田裕次郎（入社4年・営業企画課）

周丹（入社3年・営業企画課中国出身）

神崎はるか（入社3年）

オン・ヨングン（入社1年・マレーシア出身）

◇東京ITテクノ（2,3,6,10,12課）── IT業

法人向けシステム開発、ITシステムの企画・構築、ソフト開発、ネットワークなど、コンピュータに関するサービスをトータルにサポートする社員数200名の中堅企業です。アジアを中心とする海外の技術者、および日本の大学や大学院を卒業した留学生を社員として採用しています。

◎事業部

渡辺義雄（事業部・課長）

キラン（入社2年・インド出身）

イ・ジンス（入社2年・韓国出身）

呉基偉（入社1年・中国出身）

取引先　日本ショップサービス

◇ダイトク（4,9,13,14,15課）—— 輸入小売業

関東地区を中心に、チェーン店の「サンチョ」を200店舗展開する日用品、雑貨を扱うディスカウントストアで、本社の社員数は100人です。商品はほとんどが自主ブランドで主に中国、ベトナムの工場で注文、製造を行っています。

◎企画販売部

坂井和美（企画販売部・課長）

田中孝太（入社4年）

王輝（入社3年・中国出身）

グエン・アン（入社1年・ベトナム出身）

モデル会話の内容　★林さんが入社してから業務を任されるようになるまで

入社時

1課 自己紹介を行う（社内）
配属された包装資材部1課（包材1課）で課員を前に自己紹介する

2課 自己紹介を行う（社外）
新人担当者として取引先のスーパーマーケット「ピークス」に先輩に同行し、「ピークス」の担当者に自己紹介する

3課 電話を受ける
1. 担当者に取り次ぐ
2. 伝言を受ける

4課 アポイントを取る
1. アポイントを取る
2. アポイントを変更する

5課 会議に参加する
外国人新入社員として会議に参加する

入社1年後

6課 クレームを受ける
スーパーマーケット「ピークス」に納入したレジ袋の印刷ミスのことでクレームを受ける

▶ **7課 クレームを報告する**
「ピークス」からのクレームを上司に報告する

▶ **8課 クレームを処理する**
「ピークス」を訪問し、クレームに対処する

9課 会議で提案する（販売促進）
販売促進のために新規顧客開拓を提案する

▶ **10課 新規顧客を開拓する**
親しくしている取引先の人に顧客を紹介してもらうよう依頼する

▶ **11課 新規顧客とアポイントを取る**
紹介してもらった相手にアポイントの電話をかける

入社2年後

12課 商品を売り込む
新規顧客に売り込みをする

▶ **13課 催促の電話をかける**
連絡のない新規顧客に催促の電話をかける

▶ **14課 交渉を進める**
相手の上司と会い、取引開始に向けて交渉を行う

▶ **15課 受注に成功する**
新規顧客からの受注に成功する

1課

ビジネス会話の流れを学ぼう
自己紹介を行う(社内)
コラム　自己紹介

企業文化について考えよう
ケーススタディ　私の言い分―「私は能力がある人間です」
異文化ロールプレイ「自慢話と自己アピール」

ビジネス会話の流れを学ぼう

自己紹介を行う（社内）

●YMプラスティックス、新入社員の林浩(リンコウ)は配属先(さき)の包装資材部1課（包材1課）で自己紹介をする。

フローチャート

課長 (川上 かわかみ)	新人紹介
新入社員 (林 リン)	挨拶(あいさつ)
	名乗(なの)り
	（印象的な一言）
	個人情報
	仕事への姿勢の表明
	まとめの挨拶(あいさつ)

| モデル会話

川上課長 …… 皆さん、おはようございます。今日は新人を紹介します。本日付けでうちの課に配属になった林浩君です。じゃ、林君、一言挨拶をお願いします。

林 …………… おはようございます。今日から包装資材部1課に配属となりました、林浩と申します。中国語ではリンハオ（Rin Hao）と言います。よくハヤシヒロシさんですかと言われますが、中国の上海出身です。日本に来て4年になります。日本語はまだまだですが、一生懸命頑張りますので、ご指導、どうぞよろしくお願いいたします。

語彙・表現

◎練習しましょう

01 | まだまだです

（1）自分の能力を謙遜する「まだまだです」

　　A：日本語お上手ですね。

　　B：いえ、まだまだです。敬語は難しくて、なかなかうまく使えるようになりません。

（2）部下や同僚の仕事ぶりや態度をマイナス評価する「まだまだです」

　　A：昨日飲み過ぎて寝坊したって？　社会人としてまだまだだね。

　　B：申し訳ありません。以後気を付けます。

「まだまだです」は語学やスポーツなどの能力を褒められた時の返事としてよく使われます。「まだまだ、能力を高める余地はあり、完璧ではない」という意味です。ですから、相手から「まだまだだ」と言われた場合は、直すべき点が多々あると指摘されたと受け止めることが必要です。

どう答えますか。

A：社内の企画コンテストで入賞したんですって、すごいですね。

B：（得意になって）＿＿＿＿＿＿＿＿＿＿＿＿＿＿＿＿＿＿＿＿＿＿＿＿＿。

　（謙遜して）＿＿＿＿＿＿＿＿＿＿＿＿＿＿＿＿＿＿＿＿＿＿＿＿＿＿。

◎確認しましょう

01 | うちの○○／おたくの○○

うちの　　会社／部／社員／商品

おたくの　会社／部長／商品

自分の帰属している領域を「うち」と言います。また、相手や相手に帰属している領域を「おたく」と言うことがあります。丁寧に言う場合は「うちの会社」は「弊社」に、「おたくの会社」は「貴社、御社」となります。（2課　確認しましょう03参照）

コラム｜自己紹介

日本人にとって外国人の名前は覚えにくいので、ゆっくりはっきり言うことが必要です。名前、出身、来日時期はどのような場合でも自己紹介に含めたほうがよい項目です。これらにプラスする形で、名前、性格、趣味などに関する話を、状況や与えられた時間に応じて入れ込んでいきます。決まった型はありませんが、最後に「ご指導、どうぞよろしくお願いいたします」と言うのが一般的です。日頃（ひごろ）から30秒、1分、3分など、異なる設定（せってい）時間で自己紹介の練習をしておくといいでしょう。なお、第一印象はおじぎの仕方、姿勢、笑顔、声の大きさなどに大きく左右されます。内容だけでなくこれらの点にも十分気を配りましょう。

ロールプレイ

1

A:あなたは、YMプラスティックス、包装資材部1課の課長です。
1課の部屋で、本日付けで配属された新入社員の名前を課員に紹介し、本人に自己紹介をするよう促してください。

B:あなたは、YMプラスティックス、包装資材部1課に配属された新入社員です。配属先である包装資材部1課の部屋にいます。課長に促されたら、自分の名前の読み方、聞いている人の印象に残る一言、仕事への抱負を入れて、簡単な自己紹介をしてください。

2

A:あなたは、YMプラスティックス、包装資材部1課の課長です。
新入社員Bの歓迎会を居酒屋ですることになり、その席にいます。楽しい挨拶をするよう促してください。

B:あなたは、YMプラスティックス、包装資材部1課の新入社員です。
1課のメンバーが居酒屋で歓迎会を開いてくれ、その席にいます。課長に促されたら、居酒屋という場にふさわしい、自己紹介を兼ねた少しだけた挨拶をしてください。ユーモアを入れてください。

企業文化について考えよう

ケーススタディ　私の言い分——「私は能力がある人間です」

　私は日本の大学を卒業し、東京にある貿易会社に数日前に入社したカンです。出勤初日に配属となった営業部で簡単な自己紹介をするように言われました。そこで私は今まで勉強してきたことや、取った資格をアピールするほうがいいと思い、次のようなスピーチをしました。「大学時代の成績はすべてAで、卒業時には優秀賞をいただきました。英語はTOEIC900点ですので、ビジネスレベルでの英語は書くのも話すのも大丈夫です。また大学で日本語のビジネス会話も勉強しましたので、営業も問題なくできると思います。これからどうぞよろしくお願いします。」日本人の新入社員もスピーチをしましたが、自己アピールができていなくて、あまり印象に残りませんでした。その後、何人かの人から「カンさんってすごいんですね。」と言われました。それで、私は自分のスピーチがかなりうまくできたと思いました。でも、昼休みに何人かの人が私のことを話しているのをたまたま聞いてしまいました。「あの人、自分のことを何だと思っているのかしら？」「自己紹介で自慢話ばかりして……」などという声が聞こえました。私は、びっくりしました。自慢話をしたつもりはないのに、どうしてそう思われてしまったのか理解できませんでした。これから先、部内でうまく仕事をしていけるかどうか不安になってしまいました。私のスピーチのどこがいけなかったのでしょうか。

1．自国で自己紹介をするときどんなことに気を付けますか。

2．カンさんのスピーチの内容で問題となったのはどの部分だと思いますか。

3．日本人の新入社員のスピーチはどんな内容だったと思いますか。

4．カンさんはどんなスピーチをしたらよかったのでしょうか。

異文化ロールプレイ 「自慢話(じまんばなし)と自己アピール」

場面:「ツーリスト・ジャパン」の昼休み、近所の食堂で
オン:「ツーリスト・ジャパン」営業企画課社員、入社1年、マレーシア出身
神崎(かんざき):「ツーリスト・ジャパン」営業企画課社員、入社3年

オン

仕事で早く成果を出したいと思い、語学力やITの知識、旅行の経験をアピールしています。でも、日本社会では謙虚さが求められると聞きました。
自己紹介や自己アピールの仕方について、先輩に自分の考えを伝え、どうすれば自分の考えがうまく伝わるか、相談してください。

神崎(かんざき)

オンさんが、いつも「〜ができます」「〜が得意です」と自慢話をするので、あまり快く思っていません。自慢話と自己アピールの違いについて、オンさんと話し合ってください。

2課

ビジネス会話の流れを学ぼう
自己紹介を行う（社外）
コラム　雑談（世間話）の話題

企業文化について考えよう
ケーススタディ　私の言い分―「お茶くみは誰の仕事？」
異文化ロールプレイ「仕事の範囲」

ビジネス会話の流れを学ぼう

自己紹介を行う(社外)

●新入社員の林浩(リンコウ)は、スーパーマーケット「ピークス」の担当者である先輩の鈴木さんと一緒に、「ピークス」の佐藤さんに挨拶に行く。

フローチャート

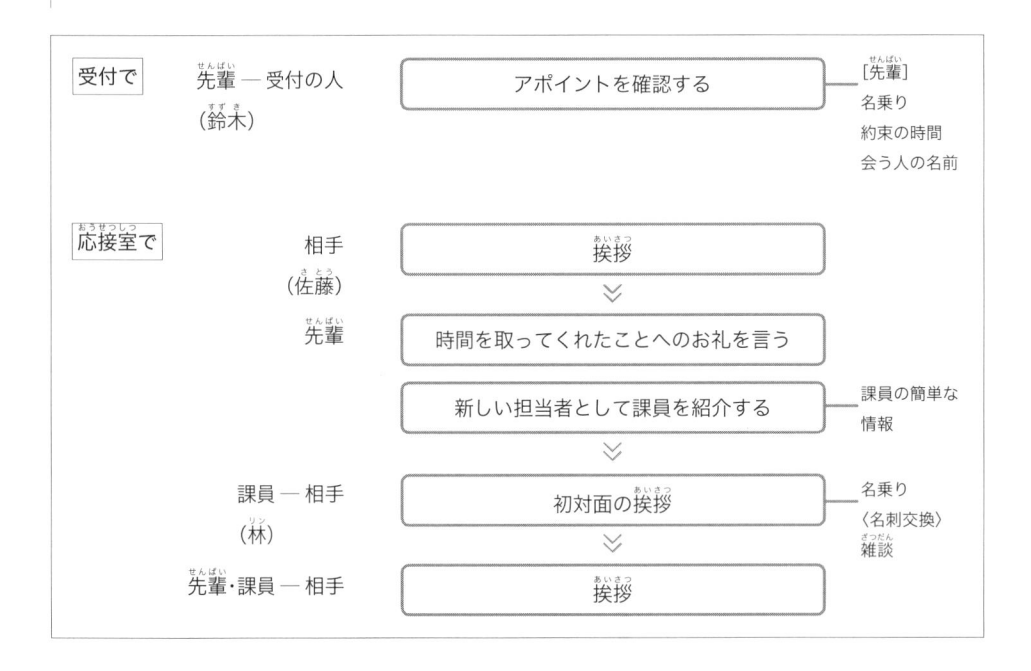

場所	話者	内容	備考
受付で	先輩 ― 受付の人 (鈴木)	アポイントを確認する	[先輩] 名乗り 約束の時間 会う人の名前
応接室で	相手 (佐藤)	挨拶	
	先輩	時間を取ってくれたことへのお礼を言う	
		新しい担当者として課員を紹介する	課員の簡単な情報
	課員 ― 相手 (林)	初対面の挨拶	名乗り 〈名刺交換〉 雑談
	先輩・課員 ― 相手	挨拶	

モデル会話

鈴木 ── おはようございます。YMプラスティックスの鈴木と申します。10時に営業部の佐藤さんとお約束をしているんですが。

受付 ── YMプラスティックスの鈴木様ですね。少々お待ちください。……はい、確かに10時のお約束で承っております。こちらへどうぞ。(応接室に案内する)

(応接室に担当者が入ってくる)

佐藤 ── お待たせしました。

鈴木 ── お忙しいところお時間を割いていただきありがとうございます。今日は林浩をご紹介に参りました。これからは私と林とで御社を担当させていただきます。林は上海出身で日本の大学を卒業し、4月から弊社で包装資材を担当しております。

林 ── はじめまして。林浩と申します。(名刺を差し出す)この度、御社を担当させていただくことになりました。どうぞよろしくお願いいたします。

佐藤 ── (名刺を受け取りながら)頂戴いたします。(自分の名刺を渡し)営業部の佐藤と申します。鈴木さんにはいつもお世話になっているんですよ。これからは林浩さんもご担当ですね。今後ともよろしくお願いいたします。上海のご出身ですか。上海にはまだ行ったことがないんですが、確か上海蟹が有名ですよね。

林 ── ええ、秋が一番おいしい季節です。上海にいらっしゃる機会があったら是非召し上がってください。

　　　　　　　…

鈴木 ── では、そろそろ失礼いたします。

佐藤 ── そうですか。

林 ── ありがとうございました。失礼いたします。

語彙・表現

◎練習しましょう

01 | 承る

（1）ご注文はDC503が10箱、DC510が20箱と承っております。
（2）弊社ではウェディングからハネムーンまで結婚に関するご相談を承っております。
（3）ご予約はこちらのカウンターで承ります。

「承る」を使って会話を完成させましょう。
（1）A：配達日の指定はできますか。
　　　B：申し訳ありません。配達日指定は　　　　　　　　　　　　　　　。
（2）A：便の変更はできるんですか。
　　　B：はい。出発1週間前まででしたら　　　　　　　　　　　　　　　。
（3）田中：この前、担当の山村さんにお話ししておいたんですが。
　　　社員：はい。田中様のご要望は　　　　　　　　　　　　　　　。

02 | クッション言葉

（1）お忙しいところ申し訳ありませんが、10分ほどお時間をいただけますか。
（2）お差し支えなければ／よろしければ、どこでこの情報をお知りになったのか伺えませんか。
（3）恐れ入りますが、こちらでのおたばこはご遠慮いただけますか。
（4）申し訳ありませんが、社員の携帯電話番号はお教えできないことになっております。
（5）お手数をおかけしますが／お手数をおかけして申し訳ありませんが、入金をご確認の上、領収書をお送りください。
（6）あいにくこちらのカタログの商品は在庫を切らしておりまして、納入は1週間後になってしまいます。

> クッション言葉を入れましょう。答えは1つとは限りません。
> (1) A:印鑑を押すのはこれだけでいいですか。
>   B:＿＿＿＿＿＿＿＿＿＿＿＿＿＿＿＿、こちらにもご捺印いただけますか。
> (2) A:電話ではだめなんですか。
>   B:＿＿＿＿＿＿＿＿＿＿＿＿＿＿＿＿、弊社まで一度お越しいただけませんか。
> (3) A:(電話で)S物産の鈴木と申します。田中課長はいらっしゃいますか。
>   B:＿＿＿＿＿＿＿＿＿＿＿＿＿＿＿＿、田中は席を外しております。

03 ～(さ)せていただく

(1) 一度伺って新商品の説明をさせていただきたいのですが、ご都合はいかがでしょうか。

(2) A:明日の出張、朝が早いんでしょ？ あとは私がやっておくから、今日はもう帰ったら？
　　B:すみません。では、お言葉に甘えて、帰らせていただきます。

(3) その場でご契約いただいた場合は、入会金を無料にさせていただいております。

「～(さ)せていただく」は、もともとは相手の許可や恩恵を得るための表現です。現在ではその意味が拡張し、非常に丁寧な表現として使われることがあります。しかし、「新商品を開発させていただきました」のような使い方は許可や恩恵とは関係がないので不自然です。この場合は「新商品を開発いたしました」が適切です。どのような場合にも使えるわけではありません。過剰な使用に気を付けましょう。

> 「～(さ)せていただく」を使って文を完成させましょう。
> (1) 電話ではなんですから、一度お会いして＿＿＿＿＿＿＿＿＿＿＿＿＿＿＿＿。
> (2) 私どもはスーパーA、コンビニBなどと取引がございます。是非、御社とも＿＿＿＿＿＿＿＿＿＿＿＿＿＿＿＿。
> (3) ご注文の品は明日発送いたしますが、一緒に新商品のサンプルも＿＿＿＿＿＿＿＿＿＿＿＿＿＿＿＿。

04 | よ〈終助詞〉

(1) 送られてきた品物がカタログの写真とはかなり違っているんですよ。それで返品可能かどうか知りたいんですけど。
(2) このようなミスは、普通では許されないことですよ。
(3) 交通費は20日までに請求しないと月末にもらえないよ。

「よ」は、自分だけが知っていて相手が知らない情報を伝える、感情を表す、主張を通すといった機能があります。目上の人に使うと押し付けがましく、失礼に聞こえる場合があるので多用は避けましょう。

> 「よ」を使ってもいいかどうかを考えて、会話を完成させましょう。
> (1) A:新しいオフィスはどう？
>   B:(同年齢の友人に)＿＿＿＿＿＿＿＿＿＿＿＿＿＿＿＿＿＿＿＿＿＿。
>   (目上の人に)＿＿＿＿＿＿＿＿＿＿＿＿＿＿＿＿＿＿＿＿＿＿＿＿＿。
> (2) A:お客様、お呼びでしょうか。
>   B:(ホテルのマネージャーにクレームを言う)＿＿＿＿＿＿＿＿＿＿＿。
> (3) A:どうしたの？　何だか元気ないんじゃない？
>   B:(同世代の先輩に)＿＿＿＿＿＿＿＿＿＿＿＿＿＿＿＿＿＿＿＿＿。

◎確認しましょう

01 | 「〜て」を使用しない表現

(1) 悪天候の中、わざわざお越しいただきありがとうございました。
(2) 価格競争が始まり、業績が悪化する会社が続出しているそうです。
(3) ファストファッションのＱ＆Ｍは、新進気鋭のデザイナーとコラボし、高いファッション性を打ち出した商品を1か月サイクルで展開し、収益を伸ばしてきています。

ビジネス会話では「〜ので」「〜て」「〜てから」の意味で「〜ます」の「ます」を省いた部分（例:「質問をして」の代わりに「質問をし」）がしばしば使われます。これはこの形を使うとビジネス会話にふさわしい硬い表現になるからです。しかし、前件と後件の関係が曖昧になりやすいため、行為の順序や因果関係をはっきりさせる必要がある場合は、「〜ので」「〜て」「〜てから」などを使います。

Y社は東南アジアに工場を移転し、収益が2倍になった。
⇒Y社は東南アジアに工場を移転してから、収益が2倍になった。
⇒Y社は東南アジアに工場を移転したので、収益が2倍になった。

02 ｜ ～ことになる

(1) 来月から新生活応援キャンペーンを展開することになりました。
(2) 弊社ではリスクマネジメント・セクションを経営企画部から独立させることになりました。
(3) 4月から大阪で勤務することになりました。

「ことになる」は会社の方針としてそのような状況に変化したことを伝える時に使います。「展開します」より「展開することになりました」のほうが婉曲的な表現となります。ただし、自分の意志から派生したことでも「退職することになりました」などのように「～ことになる」を使うこともあります。

03 ｜ ウチ／ソトの言葉の使い分け

	ウチ （自分の会社のことを ソトの人に言う時）	ソト （相手の会社）
会社	弊社　当社　私ども	御社　貴社（書き言葉） 会社名＋さん　（ミヤコさん） 業種＋さん　（コンビニさん）
人	会社の者	会社の方
個人名	名前（田中）	名前＋さん／様（渡辺さん／渡辺様）
役職名	役職名＋の＋名前（課長の田中）	名前＋役職名　（渡辺課長）

ビジネス会話の流れを学ぼう ｜ 015

コラム｜雑談（世間話）の話題

雑談は人間関係を円滑にします。ビジネスをうまく進めるためには、宴会ではもちろん、商談に入る前の雑談も重要な役割を果たします。

よくある話題：相手のこと、自分のこと、天気・スポーツ・ニュースなどの最近の話題

望ましくない話題：宗教、政治、年齢、身体的特徴、友人・同僚などのうわさ話

話題・質問の例

・（マレーシア出張から帰ってきたばかりの人に対して）クアラルンプールはどうでしたか。
・外国語がお得意なのは羨ましい限りです。どのように身に付けられたんですか。
・御社のホームページで拝見したのですが、来月新製品が出るんですね。ターゲットはどの辺りなんでしょうか。
・私も〇〇さんにならって、ジョギングを始めたんですよ。
・先日出張でクアラルンプールに行ったんですが、珍しいものに出会いましてねえ。
・我が家も太陽光パネルを取り付けたんですよ。
・今年の暑さは体にこたえますねえ。
・女子サッカーがベスト4入りとはすごいですよね。
・今年の流行語大賞、お聞きになりましたか。

ロールプレイ

1–1 受付で

A：あなたは、YMプラスティックス、包装資材部1課の社員です。
新しい担当者を連れてスーパーマーケット「ピークス」に来ました。受付で営業部の佐藤さんに取り次いでもらってください。10時に訪問の約束をしてあります。

B：あなたは、スーパーマーケット「ピークス」の受付です。
訪問者に対して、適切に対応してください。
営業部佐藤の予定：10時　YMプラスティックス
　　　　　　　　　11時　会議

1–2 応接室で

A：あなたは、スーパーマーケット「ピークス」営業部の佐藤です。
新しい担当者として来社したYMプラスティックス新入社員と名刺交換をしてください。少し雑談をしてください。

B：あなたは、YMプラスティックス、包装資材部1課の社員です。
スーパーマーケット「ピークス」営業部の佐藤さんに、新しく担当になる新入社員を紹介してください。

C：あなたは、YMプラスティックス、包装資材部1課の新入社員です。
課の先輩と一緒にスーパーマーケット「ピークス」の担当になりました。「ピークス」の佐藤さんに自己紹介を兼ねた挨拶をし、名刺交換をしてください。少し雑談をしてから、終わりの挨拶をしてください。

2

A：あなたは、ファミリーレストラン「サニーズ」本部の小泉です。
YMプラスティックスの訪問は2時の約束でしたが、会議が長引き15分待たせました。
①挨拶をしてください。
②新しい担当者として来社したYMプラスティックスの新入社員と名刺交換をしてください。
③少し雑談をしてください。

B：あなたは、YMプラスティックス、包装資材部1課の社員です。
新人のアシスタントと一緒にファミリーレストラン「サニーズ」本部の応接室に通されました。
①小泉さんに新人を紹介してください。
②終わりの挨拶をしてください。

C：あなたは、YMプラスティックス、包装資材課部1課の新入社員です。
今日は、先輩に連れられ取引先のファミリーレストラン「サニーズ」本部に来ました。
①先輩の紹介を受けて、「サニーズ」の小泉さんに、自己紹介を兼ねた挨拶をし、名刺交換をしてください。
②少し雑談をしてください。
③終わりの挨拶をしてください。

企業文化について考えよう

ケーススタディ　私の言い分 ──「お茶くみは誰の仕事？」

　私は日本の大学を卒業し、2年前からソフトウェアを開発する会社で働いているイムです。今年、ソフトの開発担当としてジョアさんが入社してきました。ジョアさんは日本の大学でＩＴの勉強をした人です。外国人は私を含め2人になりました。ジョアさんも私も、仕事はおもしろく、また上司や同僚もいい人で働きやすい会社だと思っています。

　昨日ジョアさんから相談を持ちかけられました。次のような内容でした。

　「先日、取引先の人がいらした時に、課長からお茶を用意するように言われました。いつもは受付の人がお茶を出すのですが、席を外していました。仕方なくお茶を出しましたが、慣れていないので、お客様の前でお茶をこぼしてしまいました。お茶をこぼしてしまったのは私のミスですから、その場ですぐに謝りました。でも、お茶くみを言い付けられなかったら、謝るようなことも起こらなかったのにと思うと、何となく納得がいかない気持ちになりました。契約では私の仕事はＩＴ技術者としてソフトの開発をすることだったので、お茶くみまでさせられるとは思いませんでした。日本人の同僚に話したら『えっ、どうしてそんなことで怒るの？　あの取引先はうちの大事なお客さんだから、お茶こぼしてまずかったんじゃないの？』と逆に言われてしまいました。私の考えは間違っているのでしょうか。これからもこのようなことがあったら、担当以外のいろいろな雑用も仕事ということでしなければいけないかと思うと気が重いです。私はどうしたらいいでしょうか。」

　私はジョアさんにどんなアドバイスをしたらいいのでしょうか。

1．ジョアさんと同じような経験がありますか。

2．同じような経験をしたことがある場合、どのように感じましたか。

3．日本人の同僚が言ったことに対し、ジョアさんはどう感じた／考えたと思いますか。

4．あなたがイムさんだったら、どんなアドバイスをしますか。

異文化ロールプレイ 「仕事の範囲」

場面:「東京ITテクノ」事業部オフィス
渡辺:「東京ITテクノ」事業部課長
キラン:「東京ITテクノ」事業部社員、入社2年、インド出身

渡辺課長

> 取引先の人が来ましたが、いつもお茶を用意する人が席にいませんでした。そこで、キランさんにお茶を出すように頼みました。キランさんは、お茶を出してくれましたが、気が進まない様子でした。取引先の人が帰った後、キランさんを呼んで、その態度について、事情を聞いてください。

キラン

> 渡辺課長からお客様にお茶を出すように言われたので、仕方なく従いました。でも、ITの専門知識を使うことが自分の仕事であり、お茶をいれることは自分の仕事には入っていないと思っています。渡辺課長に自分の考えを説明してください。

3課

ビジネス会話の流れを学ぼう
電話を受ける　1. 担当者に取り次ぐ　　2. 伝言を受ける
コラム　電話対応の基本

企業文化について考えよう
ケーススタディ　私の言い分─「家庭と仕事、どっちが大事？」
異文化ロールプレイ「休暇の申請」

ビジネス会話の流れを学ぼう

電話を受ける

1. 担当者に取り次ぐ
● 林(リン)は取引先(さき)の「ナカダ屋」の高井(たかい)さんから担当の鈴木(すずき)さん宛(あ)てにかかってきた電話を受け、鈴木さんに回す。

フローチャート

話者	ステップ	備考
課員 — 相手 (林)(高井)	挨拶(あいさつ)	会社名・(部署・)名前
課員	相手を確認する	
相手	担当者(鈴木)に取り次ぎを依頼する	
課員	担当者(鈴木)に取り次ぐ	

| モデル会話

林（リン） …………… はい。YMプラスティックス、包材1課、林でございます。
高井 …………… ナカダ屋の高井と申します。
林 …………… ナカダ屋の高井様でいらっしゃいますね。いつもお世話になっております。
高井 …………… こちらこそ、お世話になっております。鈴木さんはいらっしゃいますか。
林 …………… はい。少々お待ちいただけますか。
　　　　　　　　（鈴木に）鈴木さん、ナカダ屋の高井様からお電話が入っています。

2. 伝言を受ける

●取引先の「ナカダ屋」の高井さんから鈴木さん宛てに電話がかかってきたが、鈴木さんは会議に出席し、不在である。林は高井さんからの伝言を預かる。

フローチャート

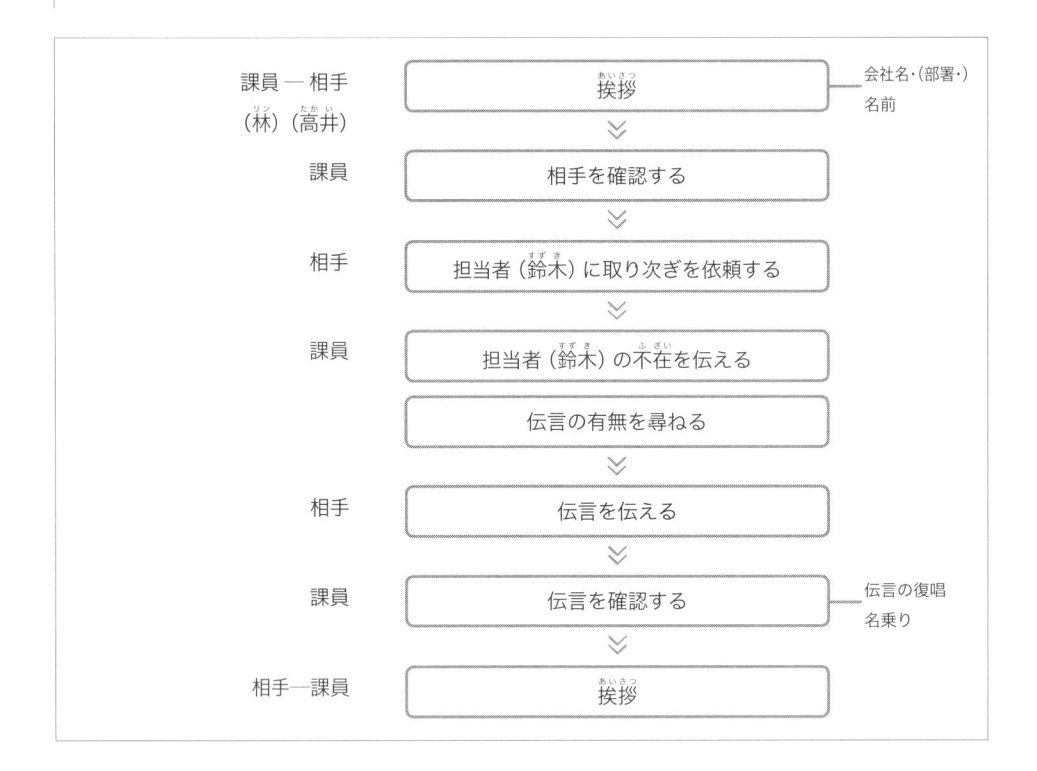

話者	内容	備考
課員 ― 相手 (林)(高井)	挨拶	会社名・(部署・)名前
課員	相手を確認する	
相手	担当者(鈴木)に取り次ぎを依頼する	
課員	担当者(鈴木)の不在を伝える	
	伝言の有無を尋ねる	
相手	伝言を伝える	
課員	伝言を確認する	伝言の復唱 名乗り
相手 ― 課員	挨拶	

モデル会話

04

林 ……… はい。YMプラスティックス、包材1課、林でございます。

高井 ……… ナカダ屋の高井と申します。

林 ……… ナカダ屋の高井様でいらっしゃいますね。いつもお世話になっております。

高井 ……… こちらこそ、お世話になっております。あのう、鈴木さんはいらっしゃいますか。

林 ……… 申し訳ありません。ただいま鈴木は会議中で、11時には席に戻ってくる予定になっております。

高井 ……… そうですか。

林 ……… よろしければ、ご伝言を承りましょうか。

高井 ……… はい、お願いします。実は、先日お話ししましたビニール袋の新規契約の件で、ちょっとご相談したいことがあるんです。それで、鈴木さんが戻ってこられましたら、お電話をくださるよう、お伝えいただけますか。

林 ……… はい。先日、お話があったビニール袋の新規契約についてご相談があるということですね。鈴木が戻りましたら高井様にお電話をするように伝えます。私、林が承りました。

高井 ……… では、よろしくお願いします。失礼いたします。

林 ……… はい。失礼いたします。

ビジネス会話の流れを学ぼう | 025

語彙・表現

◎練習しましょう

01｜インフォーマル／フォーマルの言葉の使い分け

インフォーマル （日常場面）	フォーマル （ビジネス場面）
少し	少々
ちょっと	
いくらか（は）	多少（は）
こっち／そっち／あっち	こちら／そちら／あちら
じゃあ	では
後で	後ほど
この間	先日
さっき	先ほど
これからも	今後とも
今度	この度
すごく	大変　非常に
とても	
また	改めて
分からないところ	（ご）不明な点

言い換えましょう。

(1)（同僚に）後で、また連絡します。
　　（取引先に）_____。

(2)（同僚に）少し時間がかかりますが、いいですか。
　　（取引先に）_____。

(3)（部下に）この間話した件、あれからどうなった？
　　（取引先に）_____。

(4)（同僚に）さっきA社の田中さんから電話がありました。
　　（上司に）_____。

(5) (同僚に) 後で連絡するね。
　　(取引先に) ＿＿＿＿＿＿＿＿＿＿＿＿＿＿＿＿＿＿＿＿＿。

02 ｜ お／ご　〜いただけますか／いただけませんか

(1) 担当者がすぐに参りますので、こちらで少々お待ちいただけますか。

(2) 会議室を予約する関係上、今週中に出席者数をお知らせいただけますか。

(3) カタログ送付ありがとうございました。社内で検討させていただきますので、AZ-1のサンプルもお送りいただけませんか。

> 会話を完成させましょう。
> (1) A：明日は何時に伺えばよろしいでしょうか。
> 　　 B：それでは、＿＿＿＿＿＿＿＿＿＿＿＿＿＿＿＿。
> (2) A：恐れ入りますが、＿＿＿＿＿＿＿＿＿＿＿＿＿＿＿。
> 　　 B：ここに住所と名前を書くんですね。
> (3) A：こちらがご注文いただいた商品です。数量を＿＿＿＿＿＿＿＿＿＿＿＿＿＿＿。
> 　　 B：はい、確かに注文通り受け取りました。

03 ｜ 〜よう（に）伝える／言う　など

(1) 田中さんにすぐに企画書を作成するよう言っておいて。

(2) 仕事上で何かトラブルがあった場合には、小さなことでも必ず報告するよう部長に注意された。

(3) 今日中に来週のプレゼンの準備を済ませておくように指示されている。

> 「〜よう（に）」を使って会話を完成させましょう。
> (1) 部長：山田くん、いないの？　至急話したいことがあるんだけど。
> 　　 課員：すぐに戻ってくると思います。
> 　　 部長：じゃあ、部屋にいるので、戻ってきたら＿＿＿＿＿＿＿＿＿＿伝えて。
> (2) だめじゃないか。この報告書、ずいぶん入力ミスがあるよ。いつも提出前に＿＿＿＿＿＿＿＿＿＿＿＿＿＿言ってるだろう。
> (3) A：会議で配る資料の準備しておいてね。
> 　　 B：課長から＿＿＿＿＿＿＿＿＿＿言われたので、もうコピーしてあります。

◎確認しましょう

01｜省略表現

(1) 経団連はTPPへの参加に肯定的だ。(日本経済団体連合会)
(2) 経産省から各企業に節電対策を取るよう指示があった。(経済産業省)
(3) 先週は円売りドル買いが盛んに行われ、東京の外為市場では、円は80円前半で取引きされていた。(外国為替)

4文字以上の漢語語彙は略して使われることが多くあります。誰もが知っていたり、業界や取引先で周知の言葉であれば略したまま使いますが、社内だけでしか通じないような省略語や社内用語は外部の人には使わないほうがいいです。

02｜お／ご

(1) 次回の研修会では、斉藤先生にご講演をお願いしました。
(2) ご契約内容の変更がございます。
(3) お返事をお待ちしております。

「ご＋漢語(音読み漢字)」、「お＋和語(訓読み漢字)」が原則です(ご伝言・ご指導・ご予約・ご確認・ご都合・ご意向・ご挨拶など)。しかし、「電話」「約束」は「お電話」「お約束」に、「返事」は「お返事」「ご返事」になるなど当てはまらない場合もあります。

03｜～中

(1) 課長はただいま出張中です。
(2) 田中はあいにく外出中ですが、お急ぎですか。
(3) 担当の者が接客中ですので、こちらで少々お待ちいただけますか。

電話がかかってきたときに、たまたま席にいない場合やすぐに戻ってくる場合は「席を外しております」、休暇を取っている場合は、「休暇をいただいております」「休暇中です」などと言うのが一般的です。外部の人に具体的な休みの理由を伝える必要はありません。

> **コラム｜電話対応の基本**
>
> ・電話の近くにメモ用紙を置いておく。
> （相手の会社名、部署、名前、用件を書き留めるため）
> ＊利き手にペンを持ち、受話器は利き手ではないほうの手で取る。
>
> ・ベル音が1回鳴ってから出る。
> 3回以上ベルが鳴ってから出る場合は「お待たせしました」
>
> ・会社名（＋部署）を言って出る。
> 「はい、A社（B部）○○です。」
> ＊「もしもし」は使わない。
>
> ・社内の人間には「さん」や「役職名」はつけない。
> ×渡辺さん　渡辺課長　　　○渡辺　課長の渡辺
>
> ・相手が電話を切ったのを確認してから自分も電話を切る。
>
>
> **電話での挨拶**
> 取引先との電話では、個人的に相手を知らない場合でも、「お世話になっております」と言います。自分の会社が取引で関係がある以上、相互に世話をしたりされたりすると考えるからです。

ロールプレイ

1—1 （担当者に取り次ぐ）

A：あなたは、YMプラスティックス、包装資材部1課の社員です。取引先である包装材料問屋「ナカダ屋」の高井さんから担当の鈴木さんに電話がかかってきました。鈴木さんに取り次いでください。

B：あなたは、包装材料問屋「ナカダ屋」営業担当の高井です。交渉中の新規のビニール袋契約の件で相談したいことができました。YMプラスティックスの鈴木さんに電話をかけてください。

1—2 （伝言を受ける）

A：あなたは、YMプラスティックス、包装資材部1課の社員です。包装材料問屋「ナカダ屋」の高井さんから担当の鈴木さんに電話がかかってきました。鈴木さんは、会議中で、11時には終わる予定です。伝言を聞いてください。適切に電話を終了してください。

B：あなたは、包装材料問屋「ナカダ屋」営業担当の高井です。交渉中の新規のビニール袋契約の件で相談したいことができました。YMプラスティックスの鈴木さんに電話をかけてください。留守の場合は、用件を伝え、折り返し電話をくれるよう頼んでください。適切に電話を終了してください。

2

A：あなたは、YMプラスティックス、包装資材部1課の社員です。
取引先の「ナカダ屋」の高井さんから担当の鈴木さんに電話がかかってきました。鈴木さんは、会議中で、11時には終わる予定です。伝言の有無を尋ねたところ、相手が何か言っていますが聞き取れません。適切に対応してください。

B：あなたは、「ナカダ屋」営業担当の高井です。
交渉中の新規のビニール袋契約の件で相談したいことができました。YMプラスティックスの鈴木さんに電話をかけてください。留守の場合は、用件を伝え、折り返し電話をくれるよう頼んでください。適切に電話を終了してください。

企業文化について考えよう

ケーススタディ　私の言い分 ──「家庭と仕事、どっちが大事？」

　私は、日本の大学を卒業し、東京に本部を置くコンビニエンスストアの商品開発部で働いているヴァンです。働き始めて3年になります。1年前、学生時代に知り合った同じ国出身の女性、ユンと結婚しました。

　今、夏に発売予定の新しい商品のパッケージ開発を手掛けています。先輩の田口さん、同輩の岡野さんとチームを組んでいます。毎日とても忙しいですが、やりがいがあります。

　しかし、先日ちょっとしたトラブルがありました。当初、次の週の水曜日に重役の前でプレゼンをする予定でした。ところが、金曜日の午後になって、重役の都合で、プレゼンを月曜日の朝一番にすることになりました。

　金曜日は結婚記念日でした。大事な日なので、ちょっと奮発して予約がなかなか取れない人気のレストランを2か月前に予約し、大きな花束も用意しておきました。ユンも食事をとても楽しみにしていました。

　5時になったので「今日は、これで帰らせてください。」というと田口さんも岡野さんも、とまどった様子でした。田口さんが「重役プレゼンが月曜日になったんだよ。まだ、詰めなきゃいけないところがあるし、プレゼンの最終チェックもしなきゃいけないし、ヴァンさんに帰られたら困るなあ。」と言いました。岡野さんからも「そうですよ。今日中にできないと大変なことになります。」と言われてしまいました。2人の言い分も理解できますが、私は今まで自分の仕事はきちんとしてきましたし、残業も家での夕食に間に合うぎりぎりの時間までしています。ユンは私にもっと早く帰宅してほしいと思っているようです。いつもユンに我慢させて悪いと思っています。だからこそ、最初の結婚記念日だけは残業をしたくありませんでした。私にとってはプレゼンより家庭のほうが大事です。私は2人を残して会社を出ました。食事は本当に楽しかったです。その時は残業をしなくてよかったと思いました。

　月曜日の重役プレゼンは、田口さんと岡野さんが準備した資料でうまくできたと思います。でも、2人に「ヴァンさんが金曜日残ってくれていたら、もっといいプレゼン資料ができたのに……」と言われてしまいました。田口さんが課長にこのことを言ったらしく、課長に話があると言われました。私は大きな間違いを犯したのでしょうか。

1. 金曜日の夜のヴァンさんと、チームメンバー田口(たぐち)さん、岡野(おかの)さんの様子や気持ちを比べてみましょう。

2. ヴァンさんは金曜日に残業するべきだったでしょうか。

3. 課長はヴァンさんを呼んでどんなことを言うと思いますか。

4. ヴァンさんは課長に何と説明したらいいと思いますか。

異文化ロールプレイ 「休暇の申請」

場面:「東京ＩＴテクノ」事業部オフィス

渡辺(わたなべ):「東京ＩＴテクノ」事業部課長

キラン:「東京ＩＴテクノ」事業部社員、入社2年、インド出身

キラン

> 入社以来2年間、実家に帰っていません。
> 来月、兄弟同様の付き合いをしてきた友人の結婚式があります。
> 現在大型プロジェクト進行中で、来月も会社が忙しいことは分かっていますが、
> 1週間の休暇を取りたいと思っています。
> 渡辺課長に、休暇願いを出してください。

渡辺課長

> キランさんは入社以来2年間、実家に帰っていません。
> 現在大型プロジェクト進行中で、会社が一番忙しい時期です。
> キランさんの休暇願いについて、きちんと説明を聞き、短縮できないか、休暇中の仕事をどうするか、話し合ってください。

4課

ビジネス会話の流れを学ぼう
アポイントを取る　　1. アポイントを取る
　　　　　　　　　　2. アポイントを変更する

企業文化について考えよう
ケーススタディ　私の言い分―「会議で使う資料はいつまでに
　　　　　　　　　　作ればいい？」
異文化ロールプレイ「指示の仕方」

ビジネス会話の流れを学ぼう

アポイントを取る

1. アポイントを取る
● 林は取引先のファミリーレストラン「サニーズ」の担当者小泉さんに電話をかけ、新しいカタログを持参して新製品の説明をするためのアポイントを取る。

フローチャート

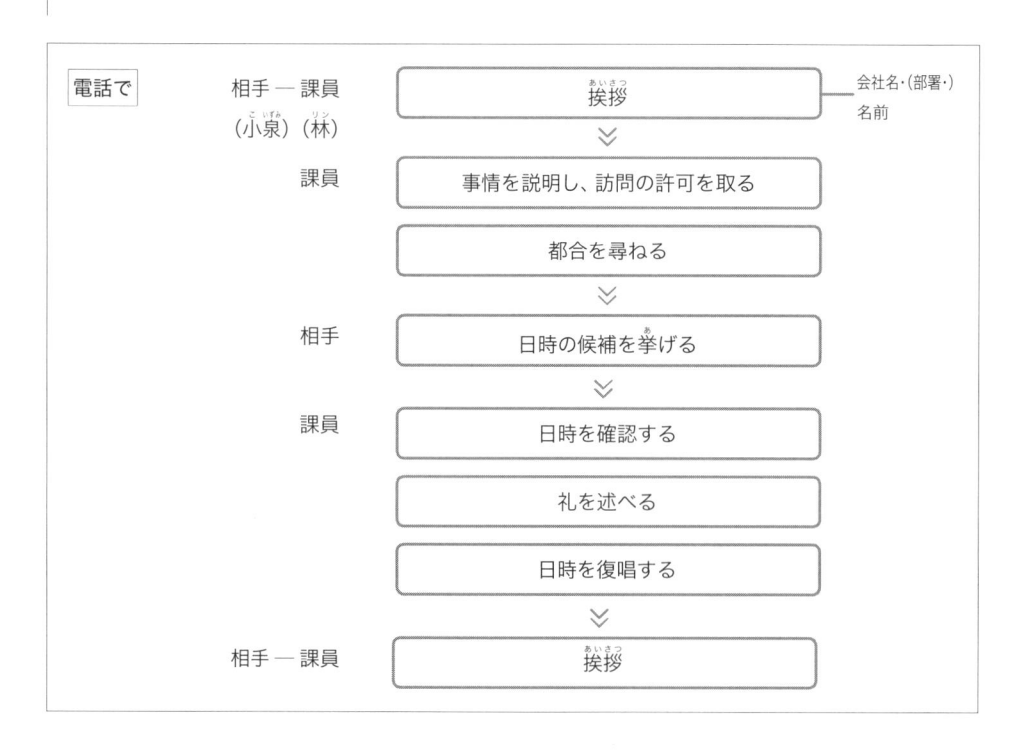

電話で		
相手 ― 課員 (小泉)(林)	挨拶	会社名・(部署・)名前
課員	事情を説明し、訪問の許可を取る	
	都合を尋ねる	
相手	日時の候補を挙げる	
課員	日時を確認する	
	礼を述べる	
	日時を復唱する	
相手 ― 課員	挨拶	

モデル会話

小泉 ……… はい、ファミリーレストラン、サニーズ本部の小泉でございます。

林 ……… お世話になっております。YMプラスティックスの林です。

小泉 ……… あ、林さん、小泉です。いつもお世話になっております。

林 ……… 本日は、新しい用度品のカタログができあがりましたので、ご紹介に上がらせていただきたいと思いましてお電話いたしました。ご都合はいかがでしょうか。

小泉 ……… そうですね。今週は、ちょっと詰まっていますので、来週でよろしいですか。

林 ……… はい。

小泉 ……… それでは、来週の水曜日の1時はいかがですか。

林 ……… はい、水曜日の1時ですね。大丈夫です。ありがとうございます。では、来週23日の水曜日、午後1時に伺います。

小泉 ……… お待ちしています。

林 ……… 失礼いたします。

2. アポイントを変更する

●林は取引先の「サニーズ」の小泉さんと会う約束をしたが、急な出張が入ったため、アポイントを変更しなければならなくなる。

フローチャート

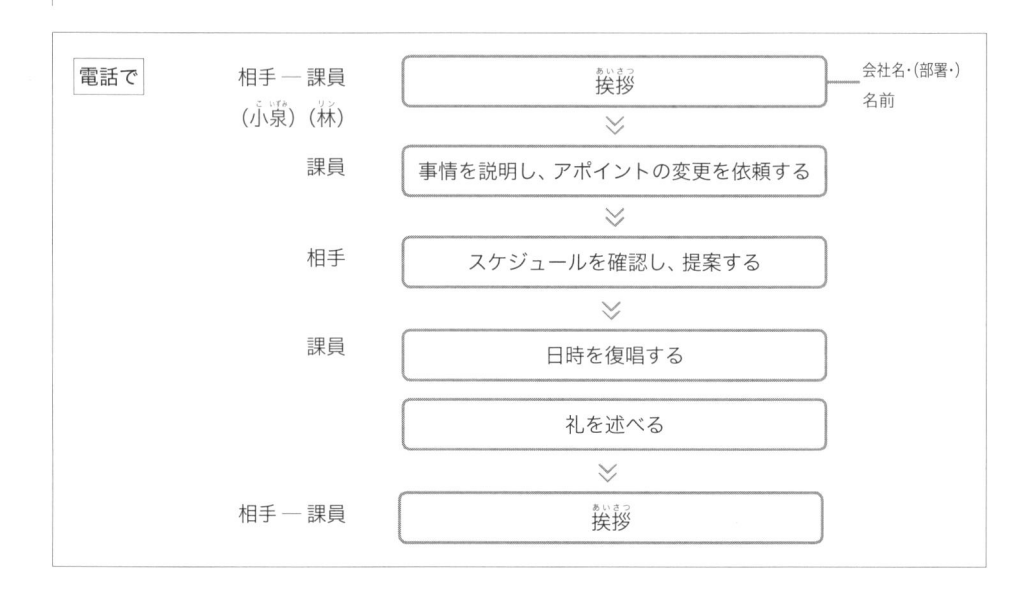

電話で			
	相手 — 課員 (小泉)(林)	挨拶	会社名・(部署・)名前
	課員	事情を説明し、アポイントの変更を依頼する	
	相手	スケジュールを確認し、提案する	
	課員	日時を復唱する	
		礼を述べる	
	相手 — 課員	挨拶	

モデル会話

小泉 …………… はい、ファミリーレストラン、サニーズ本部の小泉でございます。

林 …………… YMプラスティックスの林です。いつもお世話になっております。

小泉 …………… あ、林さん、こちらこそ、いつもお世話になっております。

林 …………… あのう、来週、水曜日のお約束ですが、実は急な出張が入ってしまいまして……。申し訳ありませんが、お約束の日にちをずらしていただけないでしょうか。

小泉 …………… はい。

林 …………… 木曜日以降でしたらご都合のよろしいお時間に伺えます。

小泉 …………… そうですか。ちょっと待っていただけますか。スケジュールを確認しますので。

　　　　　　　　　　　　⋮

お待たせしました。じゃ、金曜日の3時でよろしいですか。

林 …………… はい、結構です。では、来週25日、金曜日、午後3時に伺います。ありがとうございました。

小泉 …………… 来週、お待ちしています。

林 …………… 失礼いたします。

語彙・表現

◎練習しましょう

01 | (予定が) 詰まっている

(1) 予定が詰まっていて、これ以上アポを入れるのは無理だ。

(2) 田中さんの手帳、予定がぎっしり詰まっていますね。

(3) A:今週のご都合はいかがですか。
　　B:あいにく今週は予定が詰まっておりまして……。できれば来週ということでお願いできますか。

とても忙しいです。何と返事をしますか。
(1) A:今月中に一度ゴルフに行かないか。土曜でも日曜日でもいいから。
　　B:_____。また、誘ってください。
(2) A:明日の午後、1時間くらい打ち合わせの時間、取れる?
　　B:すみません。_____。あさっての午前なら時間があります。

---

02 | (予定など) が入る

(1) 部長、この日は朝から会議が入っています。

(2) 明日の夜は、あいにく先約が入っていますが、少しだけでしたら顔を出せるかもしれません。

(3) A:明日の午前中に来ていただけますか。
　　B:申し訳ございません。午前中はあいにく予定が入っておりますので、午後2時はいかがでしょうか。

都合がつきません。何と返事をしますか。
(1) A:今日、仕事が終わったら飲みに行かない?
　　B:_____。
(2) A:それでは、一両日中に見積書を持ってきていただけますか。
　　B:_____。
(3) A:申し訳ありませんが、水曜日のお約束を木曜日に変更していただけないでしょうか。
　　B:そうですか。_____。

03 (日時など)をずらす

(1) 会議の時間を30分ずらして2時からにしてもらえますか。
(2) 予定を変更して申し訳ありませんが、出発を1週間ずらすことはできますか。
(3) 先方から、社内検討に時間がかかりそうなので、打ち合わせの日程を少しずらしてほしいと連絡がありました。

以下の予定変更を依頼してください。
(1) (取引先に) アポイント　　来週火曜日　→　1週間後
(2) (同僚に) 飲み会　　○月○日午後6時から　→　7時から
(3) (課長に) 休暇　　8月1日〜8月3日　→　8月2日〜8月4日

---

04 結構です

(1) 承諾の「結構です」
　　A:契約書の内容はこれでよろしいでしょうか。
　　B:はい、結構です。

(2) 拒否の「結構です」
　　A:もう1杯いかがですか。
　　B:もう、結構です。

「結構です」の意味が明確になるように、会話を完成させましょう。
(1) A:お客様、よろしかったらこちらの商品もお試しください。
　　B:結構です。_____。
(2) A:次回のお打ち合わせは2週間後ということでよろしいですか。
　　B:はい、結構です。_____。

◎確認しましょう

01 実は

(1) 実は、デザインの件でもう一度ご相談したいことがありまして……。
(2) 実は、この度事務所を移転することになりました。
(3) 実は、今度大阪に転勤することになりました。それで、ご挨拶かたがた新任をご紹介に上がりました。

02 | 文末を言い切らない言い方

（1）今日は、新しいポスターを見ていただきたいと思いまして……。
（2）先日ご紹介いただいた商品、デザイン的には悪くないんですが、価格面でうちでは無理なんじゃないかと……。
（3）明日、御社に伺う予定だったんですが、不覚にも体調を崩してしまいまして……。

状況がはっきりしていて、文末まで言わなくても相手が理解できると思われる場合は、文を最後まで言い切らずに、多少間を置き、相手の反応を見てから次の発話に移ります。

03 | 以降

（1）会議室は3時以降でしたら使えます。
（2）年明け以降、株価の下落が続いている。
（3）社長交代以降、低迷していた業績がV字回復している。

木曜日以降は木曜日も含みますが、金曜日からと解釈する人もいますから、曜日、日時など明確な表現を付け加えることを忘れないでください。

04 | 確認する言い方

（1）A：じゃ、10日4時ということでよろしくお願いします。
　　　B：はい、来週、10日の金曜日、午後4時に伺います。
（2）A：来週の月曜日、3時までに着くように手配していただけますか。
　　　B：はい、かしこまりました。来週21日、月曜日、午後3時までにお届けいたします。
（3）A：ベルのミルクチョコ、大箱4ケース追加オーダーしてくれる？
　　　B：はい、ベル製菓のミルクチョコ50枚入りを4ケースですね。

口頭で日時、商品詳細などの情報をやり取りする場合、確認作業が重要です。特に電話では相手の情報を正確に言い換えることが不可欠になります。

ロールプレイ

1-1 (アポイントを取る)

A:あなたは、ファミリーレストラン「サニーズ」本部営業担当の小泉です。
YMプラスティックスから電話がかかったら、用件を聞いて、来訪のスケジュール調整をしてください。今週は時間が取れないので、来週の水曜日午後1時を打診してください。

B:あなたは、YMプラスティックス、包装資材部1課の社員です。
取引先のファミリーレストラン「サニーズ」本部営業担当の小泉さんに電話をかけて、訪問の日時を決めてください。用度品の新しいカタログを渡し、新商品の説明をするのが用件です。今週と来週はいつでも対応できます。

1-2 (アポイントを変更する)

A:あなたは、ファミリーレストラン「サニーズ」本部営業担当の小泉です。
YMプラスティックスから電話がかかってきたら、訪問スケジュール変更の要望に応えてください。来週の金曜日午後3時は空いています。

B:あなたは、YMプラスティックス、包装資材部1課の社員です。
取引先のファミリーレストラン「サニーズ」本部営業担当の小泉さんに電話をかけて、来週水曜日午後1時の訪問スケジュールを変更してください。急な出張が入ったのが理由です。木曜日以降はいつでも可能です。

2-1 （アポイントを取る）

A：あなたは、包装材料問屋「ナカダ屋」の高井です。
YMプラスティックスから電話がかかったら、用件を聞いて、来訪のスケジュール調整をしてください。今週は棚卸しで忙しいので、来週火曜日の午後2時を打診してください。

B：あなたは、YMプラスティックス、包装資材部1課の社員です。
取引先の包装材料問屋「ナカダ屋」の高井さんに電話をかけて、訪問の日時を決めてください。用度品の新しいカタログを渡し、新商品の説明をするのが用件です。今週と来週は、火曜日以外は対応できます。

2-2 （アポイントを変更する）

A：あなたは、包装材料問屋「ナカダ屋」の高井です。
YMプラスティックスから電話がかかるので、要望に応えてください。来週の木曜日と金曜日午後2時は空いています。

B：あなたは、YMプラスティックス、包装資材部1課の社員です。
取引先の包装材料問屋「ナカダ屋」の高井さんに電話をかけて、来週火曜午後2時の訪問スケジュールを変更してください。理由は自分で考えてください。水曜日以降はいつでも可能です。

企業文化について考えよう

ケーススタディ　私の言い分 ——「会議で使う資料はいつまでに作ればいい？」

　私は東京を中心にディスカウントストアを展開している会社で働いているスパニーです。入社して3年たち、企画書や報告書を書くことにも慣れてきたところです。

　水曜日に、翌週の月曜日に行われる販促会議に使う資料を作成するように課長から言われました。私は月曜日の会議に間に合うように作ればいいと理解し、金曜日の午後から資料作成を始める予定を立てていました。金曜日の朝、課長が資料はできたかと聞いてきました。私は「午後から準備する予定なので、まだ何もしていません。」と答えました。すると課長から「月曜日の朝、会議なんだよ。その前に作らなくちゃだめじゃないか。」と言われました。私は「ええ、ちゃんと今日中に作りますので、月曜日の朝までには間に合います。」と答えました。課長は、「月曜日に必要だということは、遅くとも今日の午後一で私のところに持ってくるということだよ。そのくらい分からないの？　いいから早く仕事に取り掛かりなさい。」と少しあきれたように言いました。

　私は月曜日、会議が始まる直前に参加者の席の前に資料を置けばいいと考えていたので、課長の言ったことにびっくりしてしまいました。課長のチェックが必要なら、どうして課長は金曜日の午前中に作成するように言ってくれなかったのか分かりません。

1．スパニーさんの言い分と課長の言い分とどちらが理解できますか。

2．スパニーさんと課長の間でずれが生じたのはなぜでしょうか。

3．同じような問題が起きないようにするために、スパニーさんがしなければならないことは何だと思いますか。

異文化ロールプレイ 「指示の仕方」

場面:「ダイトク」企画販売部オフィス
坂井:「ダイトク」企画販売部課長
グエン:「ダイトク」企画販売部社員、入社1年、ベトナム出身

坂井課長

> 会社にはベトナム工場と国内倉庫、それぞれの在庫リストはありますが、品目ごとに対照できるリストはありません。それがあったほうが在庫の全体像が把握しやすいと思い、見やすいリストを作成するよう、10日程前にグエンさんに指示しました。しかし、いまだにできあがってきません。
> グエンさんにリストを提出するよう求めてください。

グエン

> 課長から急に在庫リスト提出を求められました。10日程前に、課長が「グエンさん、ベトナム工場と国内倉庫、両方の在庫が一目で分かるようなリストがあるといいね」と言った時、「はい」と答えたことは覚えています。しかし、リスト作成を指示されたとは思っていませんでした。
> 課長と話し合ってください。

5課

ビジネス会話の流れを学ぼう
会議に参加する

企業文化について考えよう
ケーススタディ　私の言い分──「沈黙は金？」
異文化ロールプレイ「ミーティングでの発言」

ビジネス会話の流れを学ぼう

会議に参加する

●外国人社員採用試験についての検討会議が人事部主催で開かれ、林(リン)も外国人社員として意見を言うために出席するよう求められる。出席者は人事部の佐々木(ささき)課長、人事部の課員である竹下(たけした)さんと向井(むかい)さん、包装資材部1課の川上(かわかみ)課長、包装資材部2課の池上(いけがみ)課長、それに林(リン)の6人である。

フローチャート

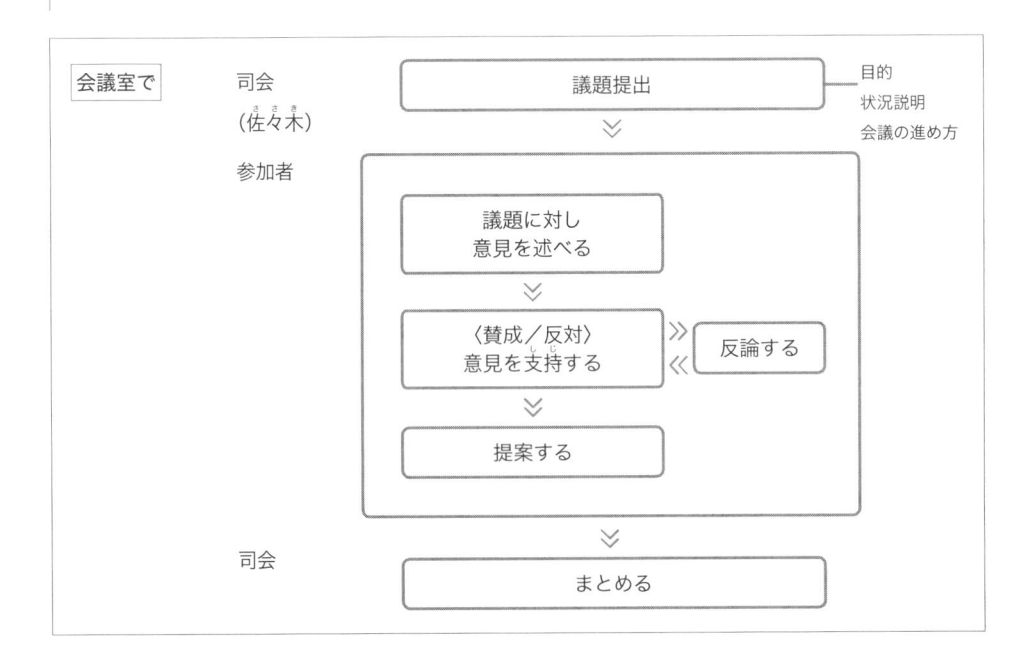

```
[会議室で]

司会              ┌─────────────┐        目的
(佐々木)          │   議題提出   │────    状況説明
                  └─────────────┘        会議の進め方
                         ≫
参加者      ┌────────────────────────────────┐
            │      ┌─────────────┐           │
            │      │  議題に対し │           │
            │      │ 意見を述べる│           │
            │      └─────────────┘           │
            │             ≫                  │
            │      ┌─────────────┐   ┌──────┐│
            │      │〈賛成／反対〉│≫ │反論する││
            │      │意見を支持する│≪ │      ││
            │      └─────────────┘   └──────┘│
            │             ≫                  │
            │      ┌─────────────┐           │
            │      │   提案する  │           │
            │      └─────────────┘           │
            └────────────────────────────────┘
                         ≫
司会              ┌─────────────┐
                  │   まとめる   │
                  └─────────────┘
```

モデル会話

人事課員
佐々木(司会) …… 今日は、今後の外国人社員採用試験について検討していきたいと思います。現在は、日本人新卒者と区別なく採用試験を行っていますが、優秀な外国人を採用するには試験を別にしたほうがいいのではないかという意見が出ています。そこで今日はこの点に絞って皆さんの意見を伺いたいと思います。

人事課員
竹下 …… 入社後は、国籍に関係なく仕事をするわけですから、試験は同じでいいのではないかと考えます。このところの経済状況をみると、採用人数の削減はしばらく続くと予想されます。外国人であっても、日本人学生と同じ筆記試験を受け、それで勝ち残る人材は優秀なんじゃないでしょうか。私は同じ試験のほうが優秀な外国人を採用することができると思います。

人事課員
向井 …… 私も竹下さんに同感です。うちの筆記試験はある意味、学生の基礎力を問うもので、これぐらいはできないと社会人としてやっていけないというレベルのテストです。外国人だからといって、受けなくていいというのは、どうでしょうか。

包材1課
川上課長 …… お2人のおっしゃることも分かります。しかし、今までのケースだと、多くの外国人は、ここではねられてしまいますよ。日本人と同じ一般常識の試験を受ける必要があるでしょうかねえ。こういう試験が悪いと言っているわけではないんですが、外国人にも日本の政治の仕組みやことわざの知識が必要かというと、大いに疑問がありますね。

包材2課
池上課長 …… どうして外国人を雇うかというと、うちは海外とのやり取りがあるからですよね。日本人社員がいくら語学ができたとしても、それだけでビジネスがうまくいくわけではありません。交渉の仕方や相手との付き合い方は本当に苦労するところです。もちろん、自分の頭でしっかり考え、物事を分析する力やチームの中でうまくやっていく力は、日本人社員と同じように必要ですが、外国人社員に求めるのは何と言っても海外との橋渡しができることです。これを考えると、日本人と同じ筆記試験を受けさせる必要はないように思いますけどね。

人事課員
竹下 …… 皆さんの意見を聞いて考え直したんですが、筆記試験は別のものを用意する、ディスカッションや面接は日本人と一緒に行うというのはどうでしょうか。ディスカッションは模擬会議のようなものですから、これは日本人の中で行ったほうが実力を見ることができるのではないでしょうか。

人事課長
佐々木 …… 林(リン)君、今までの話を聞いていて、経験者として何か言うことがありますか。

林(リン) …… はい。皆さんのおっしゃっていることはそれぞれ一理あると思います。一般常識は、私も就職試験対策の一環として勉強しましたが、実務で役に立っているかどうか正直分かりません。それに、非常に優秀なのに筆記試験で落ちてしまった友人が何人もいますから、筆記試験は留学生にとって高いハードルとなっているように思います。ディスカッションの試験は日本人と一緒にするほうがいいと思います。私は留学生であることを意識せずに、他の人の発言に対して自分の意見を論理的に述べることに集中していました。そういうことは今の仕事にも必要です。ですから、竹下さんがおっしゃったように筆記試験だけ別にすれば、優秀な人材が残ると思います。

人事課長
佐々木 …… ありがとうございました。外国人社員採用試験は日本人と別がよいということで、提案書をまとめます。

語彙・表現

◎練習しましょう

01 | 〜んじゃないでしょうか

(1) 主婦層をターゲットにするのなら、こちらのデザインのほうがいいんじゃないでしょうか。

(2) ライバルのA社に負けないためには、積極的に市場を開拓すべきなんじゃないでしょうか。

(3) 値下げ競争からはもう手を引いたほうがいいんじゃないでしょうか。

> 「〜んじゃないでしょうか」を使って会話を完成させましょう。
> (1) A:今回の合同展示会、X社かY社に出展を打診しようと思っているんだが。
>   B:でしたら、先に実績のあるX社に＿＿＿＿＿＿＿＿＿＿。
> (2) A:今回の入札は厳しいことが予想されるので、参加を見合わせようかと考えています。
>   B:多少リスクはあったとしても、我が社も＿＿＿＿＿＿＿＿＿＿。
> (3) A:今度のプロジェクトリーダー、丸山さんに任せようと思っているんだけど、どう思う?
>   B:彼女なら＿＿＿＿＿＿＿＿＿＿。

02 | 〜からといって、……というのは、どう(なん)でしょうか

(1) 経費削減しなければいけないからといって、研究開発費までカットするというのは、どうでしょうか。

(2) いくら外国語が堪能だからといって、それだけで重要なポストに就けるというのは、どうなんでしょうか。

(3) 社内公用語を英語にする企業が出てきたからといって、我が社でも同じようにするというのは、どうでしょうか。まだ時期尚早のように思いますが。

> 以下の意見に、「〜からといって、……というのは、どう(なん)でしょうか」を使って、反論しましょう。
> (1) 節電をしなければならないから残業を禁止する。
>   ＿＿＿＿＿＿＿＿＿＿。
> (2) 国内ではコストがかかるため、全ての生産拠点を海外に移転する。
>   ＿＿＿＿＿＿＿＿＿＿。

（3）営業じゃないから、身だしなみに気を使わなくていい。
　　　　　　　　　　　　　　　　　　　　　　　　　　　　　　　　　　　　　　　。

03｜どうして～かというと、……からだ

（1）どうしてタブレット型端末が人気があるかというと、従来の携帯と比べて機能が充実しているからですよね。

（2）どうして会社が株式市場に上場するかというと、株式を公開することによって資金調達が容易になるからだ。

（3）どうして海外の企業が日本に進出してこないかというと、法人税が非常に高いからだ。

「どうして～かというと、……からだ」を使って言い換えましょう。
（1）A国の賃金水準が上昇したため、B国への工場移転が増加した。
　　　　　　　　　　　　　　　　　　　　　　　　　　　　　　　　　　　　　　　。

（2）ブランドとのコラボの記事が人気を集め、女性誌の売上が伸びている。
　　　　　　　　　　　　　　　　　　　　　　　　　　　　　　　　　　　　　　　。

（3）具体的な数字に信憑性がなく、説得力に欠けていたため、企画が却下された。
　　　　　　　　　　　　　　　　　　　　　　　　　　　　　　　　　　　　　　　。

04｜～ように思う／見える

（1）この案件はそれほど緊急を要するものではないように思います。

（2）社長の病状は徐々に快方に向かっているように見えました。でも、まだ退院のめどは立たないようです。

（3）このところ売上が伸びています。アイドルグループを起用したCMが功を奏しているように思います。

「～ように思う／見える」を使って文を完成させましょう。
（1）A：X社の財務状況はどうなの？
　　　B：そうですね。財務状況は年々　　　　　　　　　　　　　　　　　　　。
（2）A：こちらから先に提案したらどうでしょうか。
　　　B：そうですね。確かに、先方はこちらの提案　　　　　　　　　　　　　　　。

（3）業界全体の売上が落ちている中、Bマートは＿＿＿＿＿＿＿＿＿＿＿＿＿＿＿＿＿＿。

◎確認しましょう

01｜大いに

（1）うちの営業所が営業成績年間トップだって！　今夜はお祝いだ。大いに飲もうよ。
（2）新入社員の率直な意見を聞く機会が増えるのは大いに結構だ。
（3）企画のアイディアをグループ対抗で競わせたら、大いに盛り上がり、いつになくいいアイディアが出てきた。

02｜一理ある

（1）お義理で参加する社員旅行は止めるべきだという意見は確かに一理あるが、今まで話したこともない別の部署の人と接するいい機会になっていることも事実だ。
（2）課長の言っていることは現実離れしているかもしれない。でも、一理ある。
（3）報連相は時間の無駄だという意見は確かに一理あるが、新人にとっては重要なことだ。

03｜ハードルが高い／ハードルだ

（1）女性は金融機関から融資を受ける際のハードルが高いので、マンション販売のターゲットになりにくいように思います。
（2）残留農薬検査や鮮度チェックなどを義務化してハードルを高くすることで、輸入野菜の品質が保証できるのではないでしょうか。
（3）外国人社員にとって、言葉がビジネスのハードルだとよく言われますが、言葉より文化的背景の違いを乗り越えるほうが難しいように思います。

04｜〜(せ)ず

（1）昨日は会場でお見かけしたのに、きちんとご挨拶もせず失礼いたしました。
（2）本日はせっかくお越しいただいたのに、いいお返事ができず申し訳ありません。
（3）いいお話だったのですが、今回はご一緒に仕事をすることができず残念に思っております。

ロールプレイ

1

A:あなたは、YMプラスティックス、人事部社員です。
人事部主催の「外国人社員採用試験」検討会議の司会をしています。現行の「一般常識筆記試験」「グループ面接」という採用試験が、採用される外国人社員にとってどのように見えているのか、入社1年目の外国人社員BやCに、発話を促してください。

B:あなたは、YMプラスティックス、包装資材部入社1年目の外国人社員です。
人事部主催の「外国人社員採用試験」検討会議に呼ばれ参加しています。司会者に促されたら、日本人と同じ採用試験(筆記試験、グループ面接)に賛成の立場から意見を述べてください。

C:あなたは、YMプラスティックス、包装資材部入社1年目の外国人社員です。
人事部主催の「外国人社員採用試験」検討会議に呼ばれ参加しています。司会者に促されたら、日本人と同じ採用試験(筆記試験、グループ面接)に反対の立場から意見を述べてください。

2

A:あなたは、YMプラスティックス、人事部の社員です。
人事部主催の「外国人社員活用方法」検討会議の司会をしています。現在、通訳として使われることの多い外国人社員を、より戦略的に活用する可能性を話し合っています。外国人社員の意見を引き出し、まとめていってください。

B:あなたは、YMプラスティックスの外国人社員です。
人事部主催の「外国人社員活用方法」検討会議に参加しています。司会者に促されたら、外国人にどのような活躍の場が考えられるか、意見を述べてください。

企業文化について考えよう

ケーススタディ　私の言い分 ──「沈黙は金？」

　2年前に日本の大学を卒業し、東京で自動車販売会社に勤めているマイケルです。
　私の所属する部では販売促進のための会議が頻繁に開かれます。私の国では会議で意見を言わないと何も考えていない、能力がないと評価されます。ですから、私は大学で学んだマーケティングの知識を生かし、自分で考えたアイディアを積極的に言ったりします。アイディアを出すことで、多様な意見が他の人から出てきて、もっといいものになることを期待しています。しかし、多くの場合、日本人社員は自分の意見を明確に言わないので議論になりません。反対か賛成かも分からないんです。この頃は、ひょっとしたら私の話をちゃんと聞いてくれていないのではないかと思うようになり、自分だけが一生懸命会議に参加しているのがばからしくなってしまいました。一緒に仕事をしている日本人社員は仕事はできる人たちなのですが、会議になるとどうして黙ってしまうのでしょうか。他の人の発言を聞いているとは思えません。

1．日本人と話していて、同じような経験をしたことがありますか。

2．日本人が意見を言わない背景としてどんなことが考えられるでしょうか。

3．日本人の発言を促すにはどうしたらいいでしょうか。

異文化ロールプレイ 「ミーティングでの発言」

場面:「ツーリスト・ジャパン」営業企画課オフィス
佐藤:「ツーリスト・ジャパン」営業企画課課長
オン:「ツーリスト・ジャパン」営業企画課社員、入社1年目、マレーシア出身

佐藤課長

> 今日も企画会議が開かれました。オンさんのミーティングへの参加の仕方が、他の社員と違うのでとまどっています。賛成であれば黙っていればいいのに、分かりきった意見を長々と述べたり、そうかと思うと、ずっと何も言わずに黙っていたりします。また、他の社員とは発言のタイミングが違います。それに、話を聞いているのかどうかよく分からないこともあります。会議への参加をどう考えているか、オンさんの考えを聞いて、今後に向けて話し合ってください。

オン

> 今日も企画会議が開かれました。会議では意見があればどんなことでも言うことが大事だと思い、この数か月間発言してきましたが、積極的に発言する人は少なく、大した議論もなくいろいろなことが決まっていきます。ミーティングには新入社員の自分がいなくても、支障がないと思うようになりました。今は、ミーティングが早く終わればいいと思い、発言しないことが多いです。佐藤課長に失礼にならないよう自分の考えを伝えてください。

6課

ビジネス会話の流れを学ぼう
クレームを受ける
コラム　クレーム対応の表現

企業文化について考えよう
ケーススタディ　私の言い分─「どうして謝らなきゃいけないの?」
異文化ロールプレイ「謝罪(しゃざい)」

ビジネス会話の流れを学ぼう

クレームを受ける

●林(リン)は取引先のスーパーマーケット「ピークス」の佐藤(さとう)さんからクレームの電話を受ける。クレーム内容は「ピークス」に納入したレジ袋の印刷が注文とは違っているということである。

フローチャート

電話で	課員―相手 (林)(佐藤)	挨拶(あいさつ)	会社名・(部署・)名前
	相手	用件を切り出す	
		状況を説明する	
	課員	謝罪(しゃざい)する	
	相手	対応を求める	
	課員	了解(りょうかい)する	訪問時間の提示
		謝罪する	

| モデル会話

林 …………… YMプラスティックス、包材1課、林でございます。
佐藤 ………… ピークスの佐藤ですが。
林 …………… あ、佐藤さん、いつもお世話になっております。
佐藤 ………… いいえ、こちらこそ。実は、この間お宅から納品されたレジ袋なんですが……。
林 …………… はい、何か問題でも……。
佐藤 ………… 今度のは新しいロゴを入れるようにお願いしましたよね。それが、こちらがお願いしたのと違っていたんです。アルファベットの「P」の字が全然違うんですよ。
林 …………… えっ、本当ですか。
佐藤 ………… ロゴはピークスのイメージを刷新するために新しく作ったものなんで、本当に困るんですよね。来月から全店で新しいレジ袋にする予定だったんで、出鼻をくじかれた感じですよ。
林 …………… それは大変申し訳ございません。弊社の中国事務所と何度もやり取りをし、チェックは万全にしていたはずなんですが……。
佐藤 ………… 納品されたレジ袋の写真を今から添付ファイルでお送りしますよ。そちらにもデザイン画があるはずですから、見比べてください。でも、とにかくこちらに来て、見ていただかないと……。電話で話すより実物を見てもらったほうが手っ取り早いと思います。
林 …………… はい、すぐに伺います。今からですと、11時には伺えると思います。よろしいでしょうか。
佐藤 ………… はい。お願いします。
林 …………… 大変申し訳ございません。失礼いたします。

語彙・表現

◎練習しましょう

01 | 本当ですか

> 言い方に気を付けて「本当ですか」と言いましょう。
> (1) 相手を信用していない、疑っている
> (2) がっかりした
> (3) うれしい

02 | 出鼻をくじく（体の部位を使った慣用句）

(1) 安値競争には勝ったが、売上は頭打ちになってしまった。

(2) 手数料として目が飛び出る程高い金額を提示された。

(3) 今度の企画に部長がなかなか首を縦に振ってくれない。

(4) この問題は難しすぎて全く歯が立たない。諦めよう。

> 慣用句を使わないで、上記の文を言い換えましょう。
> (1) ＿＿＿＿＿＿＿＿＿＿＿＿＿＿＿＿＿＿＿＿＿＿＿＿＿＿＿＿＿。
> (2) ＿＿＿＿＿＿＿＿＿＿＿＿＿＿＿＿＿＿＿＿＿＿＿＿＿＿＿＿＿。
> (3) ＿＿＿＿＿＿＿＿＿＿＿＿＿＿＿＿＿＿＿＿＿＿＿＿＿＿＿＿＿。
> (4) ＿＿＿＿＿＿＿＿＿＿＿＿＿＿＿＿＿＿＿＿＿＿＿＿＿＿＿＿＿。

03 | ～はずなんですが／けど……

(1) どうしてないんだろう。営業に行く前に書類をすべてかばんに入れたはずなんだけど……。

(2) おかしいですねえ。中国事務所とは電話で確認したはずなんですが……。

(3) 話がまとまらず残念です。先方は今回の話に乗り気だったはずなんですけど……。

「～はずなんですが／けど……」を使って文を完成させましょう。

(1) ファイル、どこに行っちゃったんだろう。ここに＿＿＿＿＿＿＿＿＿＿＿＿＿＿＿＿。

(2) 報告書がまだ提出されてないみたいだね。山田くんに今日までに＿＿＿＿＿＿＿＿＿。

(3) えっ？ 2年契約じゃないんですか。先方は電話で＿＿＿＿＿＿＿＿＿＿＿＿＿＿。

04 謝罪

(1) それは大変申し訳ございません。

(2) 誠に申し訳ありませんでした。

(3) 何と言っておわびを申し上げていいのか……。

自分側の過失については、心を込め、丁寧に謝罪してください。事務的な謝罪はかえって悪い印象を与え、将来の関係に支障を来すこともあります。

謝罪の気持ちを込め、例文を言いましょう。

◎確認しましょう

01 万全にする

(1) 第一希望の会社だったので、体調を万全にして就職試験に臨んだ。
(2) 精密機器の誤作動を防ぐために弊社工場では地震対策を万全にしています。
(3) サイバー攻撃に備え、防御態勢を万全にしておく必要がある。

02 手っ取り早い

(1) ここで議論をしているより工場に行って状況を見たほうが手っ取り早いよ。
(2) まあ、手っ取り早く言えば、この案件は没ということだ。
(3) 楽して手っ取り早くもうかる仕事なんてないよ。地道に顧客を開拓してくのが一番。急がば回れ、だよ。

03 | 体の部位を使った慣用句

- 顔が利く： 森さんは経産省関係者に顔が利くらしい。
- 顔を立てる： 今回は、そちらの顔を立てて、この条件をのみましょう。
- 首が飛ぶ： 下手なことを言うと首が飛ぶぞ。
- 首が回らない： 資金繰りがきつくて首が回らない。
- 足が出る： しゃれたレストランで忘年会をしたら、足が出てしまった。
- 足を引っ張る： 彼が足を引っ張ってるから、チームの成績が上がらないんだよ。
- 手取り足取り： 我が社では新人は先輩社員に仕事を一から手取り足取り教えてもらえる。
- 手を付ける： この書類を整理しろって言われたけど、あまりに多すぎてどこから手を付けていいのか分からない。
- 手を抜く： 手を抜いて書いた企画書は通らないよ。
- 手を引く： 交渉が難航しているので、A社はB社の買収からもう手を引くそうだ。
- 手を広げる： 手を広げすぎて、経営状態が悪化し、倒産に追い込まれる会社は少なくない。
- 口を利く： 田中さんに口を利いてもらって今の会社に入ることができました。
- 口を出す： 心配なのは分かるが、社長はありとあらゆることに口を出すので、ちょっとやりにくい。
- 耳に入れる： 部長、お耳に入れておいたほうがいいと思いまして。実は……。
- (小) 耳に挟む： ちょっと小耳に挟んだんだけど。田中さん辞めるんだって。
- 目と鼻の先： サンコウ物産はここから目と鼻の先だよ。歩いて5分とかからないよ。
- 目を付ける： (オフィスの賃貸物件探しで) 前から目を付けていたんですが、あの物件かなりの掘り出し物ですよ。
- 胸におさめる： 今回の件に関しては、田中さんの胸におさめておいていただけませんか。公になるといろいろと支障がありますものですから……。
- 腰が低い： タツミ産業の社長は誰に対しても丁寧で、腰が低い。
- 腹を決める： 社長は今回の不祥事の責任を取って辞任する腹を決めているらしい。
- へそを曲げる： 川田さんはちょっと注意するだけでもへそを曲げちゃうんだよね。困ったもんだ。

- 気が利く: 新人の山本さん本当によく気が利くね。いろいろ助かるよ。
- 気が気ではない: メーカーからの出荷が遅れ、商品到着がセール開始時間に間に合うかどうか気が気じゃない。
- 気が済む: 佐々木君は今回の件でずいぶん怒ってたけど、あれだけ文句を言えば、気が済んだと思うよ。
- 気が散る: そばでペチャクチャおしゃべりをされると、気が散って仕事ができない。

コラム｜クレーム対応の表現

◆すぐに
- すぐにお取り換えします。
- 折り返しお電話いたします。
- 確認し次第ご連絡いたします。

ビジネスでは、何事もすぐに行動を起こすことが大切です。特に取引先からのクレームでは相手の意向に添った迅速な対応が求められます。

◆謝罪
- 誠に申し訳ございません。
- この度は本当に申し訳ございませんでした。
- ご迷惑をおかけして申し訳ございませんでした。

クレームを受けた場合は、クレームを言われた直後に加えて、電話や会談の最後に再度謝ることが一般的です。心を込めて丁寧に言うことで相手への印象が違ってきます。

ロールプレイ

1

A：あなたは、YMプラスティックス、包装資材部1課の社員です。
取引先のスーパーマーケット「ピークス」に、来月から全店で使用する新しいロゴ入りレジ袋を納品したところです。ピークス営業担当、佐藤さんからの電話に対応してください。

B：あなたはスーパーマーケット「ピークス」営業担当の佐藤です。
YMプラスティックスから納品された新しいレジ袋のロゴが、注文したものと違っていました。来月から、イメージ刷新のため、全店で新しいロゴのレジ袋を使用する予定です。すぐ、確認に来るようYMプラスティックスのAに電話をかけてください。その際、現物の写真データを送ると伝えてください。

2

A：あなたは、YMプラスティックス、包装資材部1課の社員です。
取引先の包装材料問屋「ナカダ屋」に、業務用ゴミ袋などを納品しています。営業担当、高井さんからの電話に対応してください。

B：あなたは、包装材料問屋「ナカダ屋」営業担当の高井です。
YMプラスティックスから納品された業務用ゴミ袋が注文と違っていました。すぐ交換に来るよう、YMプラスティックスのAに電話をかけてください。同様の間違いが先月もありました。改善策の提示を強く求めてください。

注文品：GL73（70ℓ　厚さ0.04mm　1箱400枚　4,800円）
納　品：GL78（70ℓ　厚さ0.05mm　1箱300枚　5,000円）

企業文化について考えよう

ケーススタディ　私の言い分──「どうして謝らなきゃいけないの？」

　私はファミリーレストランで働いているチョウです。

　先日、注文されたハンバーグ定食をお客さんのテーブルに置くと、お客さんから「頼んだのはステーキ定食だけど」と言われました。でも、注文を聞いてハンディー（注文品を入力する機械）に入力した後、復唱したので間違っていないと思いました。それで「『ご注文の品はハンバーグ定食ですね。』と復唱させていただいた際に、お客様は『はい。』とおっしゃいました。ご注文はハンバーグ定食だったのではないでしょうか。」と言いました。すると、そのお客さんは、むっとした表情で、「あなたがその機械に打ちこむときに間違ったんじゃないの？　私はステーキとちゃんと言ったんだから。」と怒り出しました。私は心の中で、注文を入力したハンディーの画面を見て復唱したんだから、私が間違えたなんてありえないと思いました。どうしたらいいか迷っていると、お客さんは席を立って店を出て行ってしまいました。店長が慌ててお客さんを追いかけて、ペコペコ謝っていましたが、お客さんは戻ってきませんでした。戻ってきた店長に状況を話しましたが、店長は「どうして謝らなかったの？」とびっくりしたように聞きました。

　こちらが何もミスを犯してない場合でもお客さんに謝る必要があるのでしょうか。次に同じような状況になった時、私はうまく謝ることができるかどうか、自信がありません。どう考えたらいいのでしょうか。

1．このような経験をしたことがありますか。あなたはその時どう対応しましたか。

2．お客さんはどうして店を出て行ってしまったのでしょうか。

3．チョウさんは、どのように対応したらよかったと思いますか。

異文化ロールプレイ 「謝罪」

場面:「東京ＩＴテクノ」事業部オフィス
渡辺:「東京ＩＴテクノ」事業部課長
呉:「東京ＩＴテクノ」事業部社員、入社１年、中国出身

渡辺課長

> 取引先の「日本ショップサービス」から、担当者を替えてほしいと依頼が来ました。その理由として、ミスを謝らないこと、日本語での意思の疎通に問題があること、技術力に不安があること、が挙げられていました。会社では、ミスがあった場合には謝るように教育していますし、呉さんの日本語力や技術力は問題ありません。
> 担当の呉さんを呼んで事情を聞き、今後のことを相談してください。

呉

> 担当の「日本ショップサービス」でトラブルが続いています。先月はサーバーがダウンし、インターネットショッピングができなくなりました。調査の結果、ネットショップの商品がテレビで取り上げられ、アクセス数が急増したためだということが分かりました。作業に少し時間がかかりましたが、その日のうちに修復しました。先週また同じようなトラブルが発生しましたが、修復できました。ところが「日本ショップサービス」から、原因について説明がないし、今回のトラブルは前回の中途半端な修復が原因ではないか、トラブルが何度も起きるのは担当者の責任ではないかと言われました。
> 課長に呼ばれたら、状況を説明し、自分の気持ちを伝えてください。

7課

ビジネス会話の流れを学ぼう
クレームを報告する

企業文化について考えよう
ケーススタディ　私の言い分─「もう解決したんじゃないの？」
異文化ロールプレイ「報告〜解決済みの小さなトラブル」

ビジネス会話の流れを学ぼう

クレームを報告する

●林は取引先のスーパーマーケット「ピークス」の佐藤さんから、納入したレジ袋の印刷が注文とは違っているというクレームの電話を受け、クレーム内容を川上課長に報告する。

フローチャート

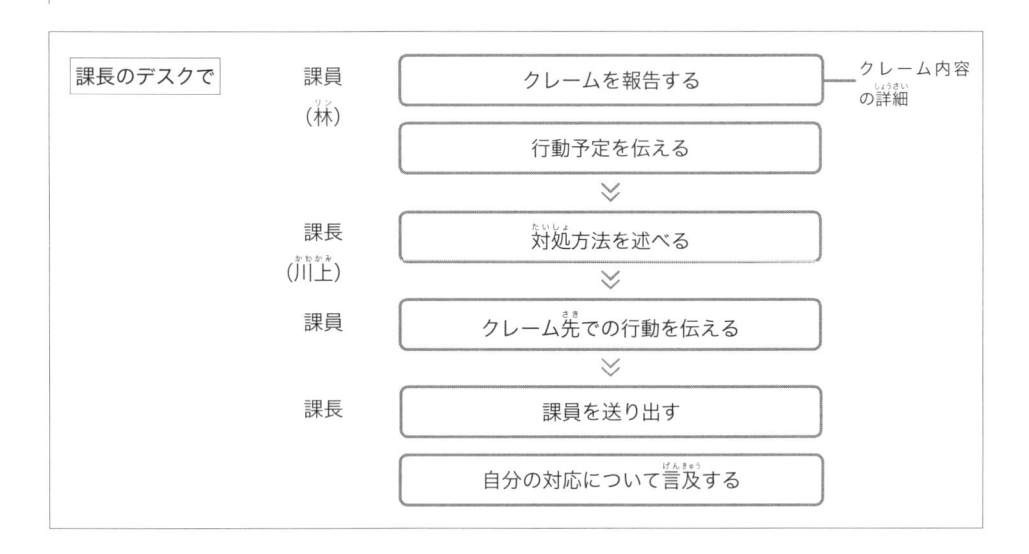

課長のデスクで			
	課員(林)	クレームを報告する	─ クレーム内容の詳細
		行動予定を伝える	
		≫	
	課長(川上)	対処方法を述べる	
		≫	
	課員	クレーム先での行動を伝える	
		≫	
	課長	課員を送り出す	
		自分の対応について言及する	

モデル会話

林 ……………… 課長、ちょっとよろしいでしょうか。
川上課長 …… はい。
林 ……………… 今ピークスの佐藤さんからクレームの電話がありました。先日、納入したレジ袋のロゴの「P」の字が間違っていたということなんです。すぐに、佐藤さんから添付ファイルでレジ袋の写真が送られてきたのですが、やはり私の手元に残っているデザイン画と違っていました。ピークスさんでは来月から全店舗で新しいロゴのレジ袋に切り替える予定なんです。それで、印刷が違っていたことにご立腹でして……。現物を見る必要はありますが、明らかにこちらのミスです。
（写真とデザイン画を課長に見せる）
川上課長 …… うーん、これはまずいね。
林 ……………… ええ、まずはこれからピークスさんに行ってきます。先方には11時までに行くと伝えました。
川上課長 …… レジ袋の切り替え期日まであと1か月ないから、今から発注し直して間に合うかが問題だな。まずは各工場の生産状況をチェックするのが先決だ。最悪の場合は、いつものようにシンガポールに頼むことになるな。シンガポールは割高になり、こちらが被る分が出るけど、やむを得ないだろう。シンガポールなら納期は確実だからな。
林 ……………… はい。それでは、ピークスさんに行って確認し、レジ袋を持ち帰ってきます。
川上課長 …… 頼んだよ。工場の生産状況はその間に、こちらでチェックしておくから。どこで手違いが起きたか、すぐ調査だな。
林 ……………… はい。

語彙・表現

◎練習しましょう

01 | まずい

（1）お客さんからクレームがあったのなら、まずは、課長に報告しないとまずいんじゃない？

（2）このまま交渉を進めていくとまずいことになる。今のうちに何とかしたほうがいい。

（3）この報告書、日付を変えただけじゃない。これ提出したらまずいよ。

> 文を完成させましょう。
> （1）このデータの数字10年前のじゃない？ ＿＿＿＿＿＿＿＿＿＿＿＿＿＿＿＿＿＿。
> （2）誰が聞いているか分からないんだから、居酒屋で＿＿＿＿＿＿＿＿＿＿＿＿＿＿＿＿。
> （3）A：＿＿＿＿＿＿＿＿＿＿＿＿＿＿＿＿＿。課長に報告したほうがいいかな。
> 　　　B：そりゃあ、話さなきゃまずいでしょ。

02 | 割高／割安

（1）他のネットショップと比べて、Aネットサービスは商品の価格が安い。しかし、一律に送料がかかるので、商品によっては割高になる場合がある。

（2）デザイナーズブランドの服は、イメージ作りのための広告料や店舗展開の費用が入っている分、割高だと思う。

（3）A：同じようなツアーがたくさんあるけど、どれにする？
　　　B：これはどう？　少しだけ高いけど、食事も観光も付いているから割安なんじゃない？

> 「割高／割安」を使って会話を完成させましょう。
> （1）A：10個以上買うと割引価格が適用されるから、10個買っておこうよ。
> 　　　B：うーん、確かに＿＿＿＿＿＿＿＿＿＿＿だけど、必要以上に＿＿＿＿＿＿＿＿＿＿。
> （2）A：オール電化にしたんだって？　光熱費が安くなるって聞いたけど、実際はどう？
> 　　　B：うん、うちは電気料金が安い夜間の使用が多いから安くなったよ。でも、昼間は料金が高いから、＿＿＿＿＿＿＿＿＿＿＿＿＿＿＿＿。

03 | やむを得ない／やむを得ず

(1) 契約内容は、やむを得ない事情がない限り変更できません。
(2) 営業成績のトップを走る彼が辞表を出したのは、何かやむを得ない理由があったのだろう。
(3) 業績悪化のため、やむを得ずリストラに踏み切った。

> 文を完成させましょう。
> (1) A：先方はいろいろ難しい条件を提示してきていますが、全部のむ必要がありますか。
>   B：そうだなあ。この契約は何としてでも取りたいから、＿＿＿＿＿＿＿＿＿＿。
> (2) 原材料が高騰したため、＿＿＿＿＿＿＿＿＿＿。ご理解いただければと思います。
> (3) A：デパートが相次いで閉店していますね。
>   B：＿＿＿＿＿＿＿＿＿＿から、やむを得ないんじゃない？

◎確認しましょう

01 | ご立腹

(1) 先日納入したシステム・ソフトに問題が多くて、先方はかなりご立腹の様子です。
(2) 今回の不祥事に社長は大層ご立腹でして……。
(3) 納期が遅れた上、不良品が混ざっていたとあっては、先方がご立腹なのももっともでしょう。

02 | 現物

(1) カタログでもだいたいの感じは分かるが、現物を見たほうが納得がいく。
(2) ボーナスが現物支給だなんて今どき考えられない。
(3) A：国産品と比べ、単価が安いのはいいのですが、品質はどうなんですか。
    B：はい、現地へ行って現物を確認しておりますので、その点は保証いたします。

03 | 何とも言えない

（1）この提案が通るかどうかは、何とも言えないが、部長に話してみる価値はある。
（2）A社との合併が吉と出るか凶と出るか、何とも言えない。
（3）君にとって会社を今辞めるのがいいのか悪いのか、私には何とも言えない。

04 | 先決

（1）派遣社員雇用の規制が厳しくなったが、雇用問題解決のためには、規制より雇用創出が先決だろう。
（2）クレーム増加の責任追及も必要だが、対策強化が先決だ。
（3）リストラも1つの選択肢ではあるが、まずは徹底的な経費削減が先決だ。

05 | 被る

（1）今回は当方のミスだったので、不足分の代金は被るしかなかったんだ。
（2）彼は不正融資の罪を被って辞職した。
（3）本当は先方に差額を請求したいところだが、今後の取引を考え、今回はうちが被ることにしよう。

「被る」は、本来は他者が負うべき借金や罪などを受ける場合は「かぶる」、自分にとってよくない結果を受ける場合は「こうむる」と読みます（例　為替相場で大きな損失を被った）。

ロールプレイ

1

A:あなたは、YMプラスティックス、包装資材部1課の社員です。
取引先のスーパーマーケット「ピークス」から、クレーム電話がかかってきました。
メモを見ながら、課長に報告してください。

メモ:
- 中国で製造・印刷し納品したレジ袋のロゴ「P」の字が違う
- 送られてきたレジ袋の画像と注文時のデザイン画が違う
- 来月全店で切り替え予定
- 11時までに現物確認に行く

B:あなたは、YMプラスティックス、包装資材部1課の課長です。
取引先のスーパーマーケット「ピークス」担当者Aの話を聞いて、対応策を考え、今後の指示を出してください。

〈対応案〉
レジ袋切り替えに間に合わせるため、各工場の生産状況をチェックする。
最悪の場合、シンガポール工場で生産する。
原因を調査する。

2

A：あなたは、YMプラスティックス、包装資材部1課の社員です。
取引先の包装材料問屋「ナカダ屋」から、納品したゴミ袋に関してクレームの電話がかかってきました。
①メモを見ながら、課長に報告してください。
②間違いの原因について自分の考えを述べてください。

　メモ
　・注文品：GL73（70ℓ　厚さ0.04mm　1箱400枚　4,800円）
　・納　品：GL78（70ℓ　厚さ0.05mm　1箱300枚　5,000円）
　・先月も同様の間違い
　・改善策の提示が必要

B：あなたは、YMプラスティックス、包装資材部1課の課長です。
取引先の包装材料問屋「ナカダ屋」担当Aの話を聞いて、対応策を示してください（例：至急交換）。また、今後の改善案を示してください。（例：厚さによって箱の色を変える、箱の表示文字を大きくする、など）。

企業文化について考えよう

ケーススタディ　私の言い分──「もう解決したんじゃないの？」

　私はスーパーマーケットに勤務しているリュウです。日本の大学を卒業しました。うちのスーパーでは店舗販売の他に、高齢者をターゲットとして、電話で注文を受け、その日のうちに商品を配達するビジネスに力を入れています。入社数年は大卒でも現場を経験させるという会社の方針で、ここ数か月はお客様から注文を受けた商品を配達しています。

　数日前、いつものように30件分の配達用クーラーボックスを車に積み、各家庭に向かいました。その日は朝から30度を超える暑さで、出発した1時頃は35度になっていました。20件配達が終わる頃には暑さで疲れてしまいました。そこで車を降りて公園の木陰で少し休憩を取ることにしました。木陰に入ると暑さが和らぎ気持ちがよく、数分休むつもりがついうとうとし1時間たってしまいました。慌てて残りの10件の配達を終わらせ店に戻り、「無事配達終わりました。」とマネージャーに報告しました。寝てしまった分、店に戻る時間が予定より遅くなってしまいました。でも、一人暮らしのお年寄りにつかまって話し込むこともあるので許容範囲の遅れだと判断しました。

　翌日マネージャーから呼ばれました。最後に配達したお客様からクレームがあったとのことでした。配達時間が予定よりかなり遅く、夕食の準備ができなかったというものでした。配達が5時過ぎになりましたが、「遅くなり申し訳ありません。」とちゃんと謝ったら、お客様も「はい、いつもありがとう。」と言ってくださったので安心しました。だから、何も問題はないと思いました。私の対応が悪かったのでしょうか。

1．リュウさんが問題がないと思ったのはどうしてでしょうか。

2．あなたがリュウさんの立場だったら、どうしますか。

3．マネージャーはリュウさんにどんなことを言ったと思いますか。

異文化ロールプレイ 「報告～解決済みの小さなトラブル」

場面:「ツーリスト・ジャパン」営業企画課オフィス
佐藤:「ツーリスト・ジャパン」営業企画課課長
オン:「ツーリスト・ジャパン」営業企画課社員、入社1年、マレーシア出身

佐藤課長

> 航空券を購入した客からクレームの電話がありました。「請求金額を振り込んだ後で、追加料金請求というのはおかしいのではないか。事情は分かるので今回は振り込んだが、ミスがあったなら、旅行社が追加料金を負担すべきではないか。」というものでした。このお客さんはオンさんが担当しましたが、報告は受けていません。①オンさんを呼んで、事情を聞いてください。②報告の大切さについて説明してください。

オン

> 航空券の予約を受け、代金を入金してもらいましたが、発券しようとした時点で、子供運賃を1,000円安く計算していたことが分かりました。航空券を購入した客にすぐに連絡し、事情を説明した上で謝罪したところ、理解のあるお客さんで、すぐ追加入金に応じてもらえました。おわびのメモを付けて、宅配便で航空券を発送し、この業務は無事に終了しました。
> ところが、今日になって、課長から報告がなかったと叱られました。
> 既に解決した小さなミスの報告は、自分の信用を落とすかもしれないという気持ちがあります。自分の考えを課長に話してください。

8課

ビジネス会話の流れを学ぼう
クレームを処理する
企業文化について考えよう
ケーススタディ　私の言い分─「報連相(ほうれんそう)は大事?」
異文化ロールプレイ「報告・連絡・相談」

ビジネス会話の流れを学ぼう

クレームを処理する

● 林はスーパーマーケット「ピークス」の佐藤さんから、納入したレジ袋の印刷が注文と違っているというクレームの電話を受け、クレーム内容を川上課長に報告した後、「ピークス」を訪問する。

フローチャート

クレーム先の事務所で

課員（林）	謝罪する
相手（佐藤）	苦情を言う —— 状況説明／（不良品）確認／依頼
課員	状況を確認する
相手	責任の所在に言及し、対処を求める
課員	対処方法と原因調査を表明する
相手→課員	挨拶 —— 謝罪

（1時間後、電話で）

相手→課員	挨拶
課員	原因の所在を説明し、謝罪する
	対処方法を示す
相手	了解する
課員	謝罪訪問に言及する —— 課長の訪問
	再度謝罪する
	挨拶

モデル会話

林 …………… この度は、ご迷惑をおかけいたしまして、申し訳ございません。

佐藤 ………… いやあ。新しいロゴ入りの袋を待っていたのに、箱を開けて、袋を見た時はびっくりしましたよ。先ほど写真を添付でお送りしたので、お分かりになったと思いますが、とにかく現物を見てください。これなんですよ。

林 …………… 失礼します。確かに違いますね。

佐藤 ………… 発注時のデザイン画があるのでこちらのミスではないのは確かですからね。お電話でもお話ししたように、来月から、新しい袋に一斉に切り替える計画でして、大丈夫ですか。何しろ1か月を切っていますしね。間に合わないと、こちらとしても困った事態になってしまうんですよ。

林 …………… ご事情は重々承知しております。袋の回収と再生産につきましては、社に戻り至急手はずを整えます。再生産する袋の納期は確認が取れましたら、すぐにご連絡を差し上げます。こちらの袋を社に持ち帰り、早急に原因を明らかにした上で、責任を持って対処させていただきます。

佐藤 ………… はい。連絡、お待ちしています。

林 …………… 本当にご迷惑をおかけし申し訳ありません。では、失礼いたします。

（1時間後、電話で）

佐藤 ………… はい、ピークス営業部佐藤です。

林 …………… YMプラスティックスの林です。先ほどの件ですが、やはり中国工場の印刷ミスであることが分かりました。大変申し訳ございませんでした。それでシンガポール工場で再生産させていただきます。必ず御社の切り替え時期には間に合うよう納品いたします。

佐藤 ………… それは良かったです。ホッとしました。

林 …………… 後日、課長とご報告かたがたおわびに伺います。

佐藤 ………… いえ、それには及びませんよ。

林 …………… 課長が是非と申しておりますので。この度はご迷惑をおかけし申し訳ありませんでした。今後はこのようなことがないよう気を付けますので、何とぞよろしくお願いいたします。

佐藤 ………… はい。

林 …………… 失礼いたします。

ビジネス会話の流れを学ぼう | 079

語彙・表現

◎練習しましょう

01 | いやあ

（1）A：新しいカップ・スープの売れ行きはいかがでしょうか。
　　　B：いやあ、それがすごい人気で、びっくりしています。
（2）A：この間出した企画、すぐにOKが出たんだって？
　　　B：いやあ、私もびっくりしています。
（3）A：X社の経理部長が逮捕されたそうですね。
　　　B：いやあ、その話には驚いたよ。ギャンブルで大損して、その穴埋めのために会社の金を着服していたらしいね。

「いやあ」は事態が予想外の展開になったり、状況に驚いたりした場合に使います。

会話を完成させましょう。
（1）A：聞きましたか。業界最大手のS社とT社が合併するそうですね。
　　　B：いやあ、＿＿＿＿＿＿＿＿＿＿＿＿＿＿＿＿＿＿＿＿＿＿。
（2）A：うまく契約できてよかったですね。
　　　B：いやあ、＿＿＿＿＿＿＿＿＿＿＿＿＿＿＿＿＿＿＿＿＿＿。
（3）A：巨額の負債が発覚し、Z社の株価が急落しましたね。
　　　B：いやあ、＿＿＿＿＿＿＿＿＿＿＿＿＿＿＿＿＿＿＿＿＿＿。

---

02 | ～を切る

（1）今日は6月17日だ。納期の6月末日まで2週間を切ってしまった。間に合うだろうか。
（2）タイムセールは間もなく終了です。残り1時間を切りました。お早目にお求めください。
（3）他社との競争に勝つためには、1万円を切る価格設定にすることが必要だと思います。

「～を切る」を使って文を完成させましょう。
(1) A：今日は20日か。見本市は来月10日からだけど、準備は万全？
　　B：それが……。開催まで_____のに、_____。
(2) A：西川さん、初めてのプレゼンで緊張しているみたい。持ち時間は20分なのにもう15分経過してる。
　　B：そうですね。残り時間が_____けど、_____。
(3) 在庫が8箱しかないじゃないか。在庫が_____たら、_____言ったはずだ。

03｜原因／理由

(1) Aデパートは、赤字を理由に6月末にB駅前店を閉店すると発表した。赤字の原因として、若者の百貨店離れが進んだこと、長引く不況で客足が遠のいたこと、ショッピングモールが急増したことなどを挙げた。

(2) 一昨日起きた工場火災については現在、原因を調査中です。

(3) いじめを理由に中学生が自殺した。しかし、いじめが原因で自殺したということを、学校側は認めたがらない。

「原因」「理由」のどちらがいいでしょう。答えは1つとは限りません。
(1) 大手書店が苦境に立たされている。その_____としては、若者の本離れ、電子書籍の出現、中古専門書店の台頭などが挙げられる。
(2) 工場爆発の_____は機械の火花が薬品に引火したためらしい。
(3) 御社を希望する_____は、説明会で伺った「決して、お客様を裏切らない」という言葉に共感したからです。

「原因」、「理由」を使って、それぞれ文を作りましょう。状況が分かるように、ある程度の長さの文にしてください。

_____
_____

◎確認しましょう

01｜手はず

(1) 今週中に契約できるよう手はずを整えてあります。

(2) 見本市への出品の件ですが、明日9時に搬入する手はずを整えてあります。

(3) 先方とは現地で合流する手はずになっています。

02｜一斉に

(1) 来週土曜日より全店舗一斉にクリアランス・セールを開催します。

(2) 工場が24時間体制で稼働している関係上、社員が一斉に夏季休暇を取るのは難しい。

(3) ノー残業デーの水曜日は午後7時になると一斉にオフィスの電気が消されてしまう。仕事が残っていても帰らざるを得ない。

03｜重々

(1) こちらのミスであることは重々承知しております。

(2) この度の不手際、重々おわびいたします。

(3) この契約が今後どのような意味を持つか重々分かっているつもりです。

04｜〜かたがた

(1) A：先日は見本市への出展の件で大変お世話になりました。お礼かたがたご報告に伺いたいのですが、お時間を頂けますでしょうか。

　　B：いやあ、お忙しい中、わざわざお越しいただくほどのことではありませんよ。

(2) A：来年竣工する弊社の関西工場は京都からもそれほど遠くありませんから、京都見物かたがた是非見学にお越しください。

　　B：そうですか。それは楽しみです。

(3) この度この地域に本行の支店を開設いたしました。是非ご利用いただきたく、ご挨拶かたがたパンフレットをお持ちしました。

ロールプレイ

1—1 スーパーマーケット「ピークス」で

A：あなたは、YMプラスティックス、包装資材部1課の社員です。
取引先のスーパーマーケット「ピークス」に行き、先方の担当者佐藤さんに謝罪し、レジ袋のロゴが違っていることを確認してください。レジ袋の回収、再生産について早急に対応すること、再生産の納期の確認が取れたら連絡することを伝えてください。

B：あなたは、スーパーマーケット「ピークス」の営業担当の佐藤です。
YMプラスティックス担当者の訪問を受けて、ロゴが違うレジ袋を見せてください。ピークスに責任がないことを主張し、来月実施するレジ袋の一斉切り替えの重要性を強調してください。対応策について尋ねてください。

1—2 電話で

A：あなたは、スーパーマーケット「ピークス」の営業担当の佐藤です。
YMプラスティックス担当者からの電話を受けてください。
印刷ミスのレジ袋に関する説明を聞き、対応策を受け入れてください。
課長の謝罪訪問の申し出については遠慮してください。

B：あなたは、YMプラスティックス、包装資材部1課の社員です。
スーパーマーケット「ピークス」の佐藤さんに電話をかけて、以下のことを伝え、謝罪してください。
①デザイン違いの原因は中国工場の印刷ミスと判明
②正しいロゴのレジ袋をシンガポール工場で生産する
③来月のレジ袋切り替え期限には間に合わせる
④課長が直接おわびに行く

2

A:あなたは、YMプラスティックス、包装資材部1課の社員です。
取引先の包装材料問屋「ナカダ屋」に納品したゴミ袋が注文と違っていました。「ナカダ屋」に行き、担当者に謝罪し、納品ミスのゴミ袋を確認してください。今後について以下の点を説明してください。
①あさっての午前中に、納品ミスのゴミ袋を交換する。
②発送時の間違いと思われるので、発送システムを見直す。

B:あなたは、包装材料問屋「ナカダ屋」の高井です。
YMプラスティックス担当者の訪問を受けて、納品ミスを確認してもらってください。先月の間違いも含めて苦情を言い、原因について尋ねてください。また、再発防止策を求めてください。

企業文化について考えよう

ケーススタディ　私の言い分──「報連相(ほうれんそう)は大事?」

　私は日用雑貨卸問屋に勤めて3年になるクンです。仕事は営業で得意先も増えてきたところです。担当の取引先のことなら誰よりも情報を持っていると自負しています。
　先日、得意先に営業に行った際に仕入れている商品を少し安くしてくれないかと頼まれました。一箱あたり50円の割引で1か月に換算すると8,000円程度の金額に過ぎません。それに、この商品は在庫がある上にあまり売れ行きがいいとはいえないものなので、早く在庫を減らしたほうがいいと判断し、私の一存で了承しました。何日かたって、課長から呼ばれました。取引先から仕入価格を安くしてもらって感謝しているという電話があったが、相談を受けていないし、報告書も提出されていないのでびっくりしたとのことでした。そして、どんなことでも自分で決める前に相談をするように注意を受けました。報告書もちゃんと書くように言われました。入社して3年もたっているのに、何一つ自分で決められないのは何だか子供扱いされているような気がします。
　入社したばかりのころは上司のアドバイスをもらえるので報連相はとてもいいシステムだと思っていましたが、この頃は、課長への報告や報告書を書く時間があったら営業にもっと力を入れられるのにと思うようになってきました。私の仕事は報告書を書くことではありません。報連相は本当にいい習慣なのでしょうか。

1. 得意先に対してクンさんがしたことをどう思いますか。

2. 報連相に対してのクンさんの気持ちは入社当時と今とではどのように変化したと思いますか。

3. 報連相のいい点、悪い点をそれぞれ考えてみましょう。

4. 意欲を持って仕事を続けていくために、クンさんは、上司とどんな話し合いをしたらいいでしょうか。

異文化ロールプレイ 「報告・連絡・相談」

場面:「ツーリスト・ジャパン」オフィスの休憩コーナー
沢田:「ツーリスト・ジャパン」営業企画課社員、入社4年
オン:「ツーリスト・ジャパン」営業企画課社員、入社1年、マレーシア出身

沢田

> オンさんが落ち着かない様子なので気になっています。
> ①オンさんに仕事のことで心配なことがないか、聞いてください。
> ②仕事上の心配事については、報告、連絡、相談が大切なことを説明してください。

オン

> 企画会議で推薦したマレーシアのホテルで食中毒が出たという情報を現地の友人から聞きました。
> まだ不確かな情報なのですが、自分が推薦したホテルなので責任があると思い、どうしたらよいか分からず心配です。
> 先輩の沢田さんに声をかけられたら、自分の考えを話してください。

9課

ビジネス会話の流れを学ぼう
会議で提案する （販売促進(そくしん)）
コラム　人を呼ぶ時の「君、さん」使い分け

企業文化について考えよう
ケーススタディ　私の言い分―「情報の共有って？」
異文化ロールプレイ「メールでの情報の共有」

ビジネス会話の流れを学ぼう

会議で提案する（販売促進）

●林は課内の営業会議で販売促進のために新規顧客開拓を提案をする。参加者は包装資材部1課の川上課長、包装資材部1課課員の鈴木さん、それに林である。

フローチャート

会議で

課員1（林）	→	新規取引先開拓を提案する
課長（川上）	→	提案の説明を求める
課員1	→	提案の詳細を述べる
課員2（鈴木）	→	提案を支持する
課長	→	提案の問題点を指摘する
課員1	→	成功の見込を述べる
課長	→	営業の進め方をアドバイスする
課員1	→	了解する

モデル会話

林 …………… このところ経済状況が厳しく、うちの課でも、思ったほどは売上が伸びていません。今期の業績も見通しが芳しくありません。そこで新たに大口の取引先を開拓する必要があると思うんです。

川上課長 …… どこか想定している会社があるの?

林 …………… はい。今、ミヤコ・ホールディングスはどうかと考えています。ミヤコさんは、ご承知のように焼肉チェーン店「きく屋」とファミレス「ロイヤルカスト」を全国展開しています。最初は業務用ゴミ袋からだとしても、将来的には、うちで扱っている商品を全般的に売り込めるんじゃないかと踏んでいます。そうなると、かなりの取引が望めます。

鈴木 …………… このあいだ提携した深センの工場だったら、かなり安く仕入れることができます。名前やロゴを入れないで済む業務用ゴミ袋は、印刷ミスなどのリスクが少ないので最初に売り込む商品としては最適ですね。深センでは工場の建設ラッシュで過当競争が始まり、値段のたたき合いが起こっているようです。大量発注をすればもっと安くなる余地はありますね。

川上課長 …… まずは、安い業務用ゴミ袋で切り込んでいくということだね。外食産業は今どこも不景気のあおりを受け厳しい状況の中、経費削減策に知恵を絞っているから悪い話ではないかもしれないな。だけど仕入先を変えるのは結構時間がかかるものだよ。仕入先と古い付き合いがある場合は特にね。

林 …………… おっしゃる通りですが、価格を前面に出せばいけると思います。今週中にでも一度訪問してみます。

川上課長 …… おいおい、新入社員でもあるまいし、飛び込みで行く気じゃないだろうね? こういうときにこそツテを使わない手はないんだから……。ダイヤフードさんは確か、ミヤコ・ホールディングスと取引があったはずだ。ちょっと連絡を取ってみたらどうだ?

林 …………… はい、分かりました。

語彙・表現

◎練習しましょう

01｜余地がある

(1) CO₂排出量削減の観点から電気自動車に注目が集まっているが、まだまだ改良の余地があり、普及するまでには時間がかかるだろう。

(2) A：Y社との取引の件、その後どうなった？

　　B：はい。今、取引条件を詰めているところですが、まだ検討の余地があります。

(3) A社の買収についてはまだ議論の余地があり、拙速に結論を出すべきではない。

文を完成させましょう。

(1) A：Y社はこちらに不利な条件ばかり提示してきます。

　　B：話し合いは始まったばかりだ。＿＿＿＿＿＿＿＿＿＿＿＿＿＿＿＿＿＿＿。

(2) 世界の携帯電話市場で日本のシェアは数パーセント程度だ。＿＿＿＿＿＿＿＿＿＿＿＿＿。

(3) A：この数年で工場の労働コストが上昇しています。

　　B：最新式の機械を導入することで、＿＿＿＿＿＿＿＿＿＿＿＿＿＿＿＿＿＿＿＿。

02｜～手はない

(1) 今回の調査をするに当たり、今まで培ってきた人脈を生かさない手はないと思い、いろいろな方に協力をお願いしました。

(2) A：X社から取引の申し出がありました。かなりの好条件なので、これを断る手はないと思います。

　　B：X社って信用できる相手なの？　結論を出す前に、もう少し慎重に考えたほうがいいんじゃない？

(3) 海外で仕事をしたいと思っていたところに、ニューヨーク支店への赴任の打診があった。このチャンスを逃がす手はない。

「～手はない」を使って文を完成させましょう。

(1) ＿＿＿＿＿＿＿＿＿＿＿＿＿＿＿＿＿＿＿＿＿＿＿。これを利用しない手はない。

(2) ＿＿＿＿＿＿＿＿＿＿＿＿＿＿＿＿＿＿＿＿＿＿＿生かさない手はない。

03 | ～のあおりを受ける

(1) 不況のあおりを受け、倒産する中小企業が急増している。

(2) 今まで値下げ競争を行ってきた外食産業も、穀物価格高騰のあおりを受けて、値上げせざるを得なくなるだろう。

(3) 大手企業A社の倒産のあおりを受けて、連鎖倒産する関連会社が続出しそうだ。

> 文を完成させましょう。
> (1) 円高のあおりを受けて、＿＿＿＿＿＿＿＿＿＿＿＿＿＿＿＿＿＿＿＿。
> (2) アメリカ経済低迷のあおりを受けて、＿＿＿＿＿＿＿＿＿＿＿＿＿＿＿。
> (3) 株価下落のあおりを受けて、＿＿＿＿＿＿＿＿＿＿＿＿＿＿＿＿＿。

◎確認しましょう

01 | 見通し

(1) 円高による業績悪化が予想されたが、今期決算の赤字転落は避けられる見通しだ。

(2) A:在庫がないってことですが、いつ入荷するんですか。
　　B:メーカーの製造工程でトラブルが発生したということで、現在のところ、入荷の見通しは立っておりません。

(3) A:需要が見込めると思って大量発注したんですけど、売れ行きが芳しくないんです。
　　B:うーん、それは見通しが甘かったね。

02 | 知恵を絞る

(1) 主婦は1円でも安いものを買おうと知恵を絞っているのに、高品質とはいえ、こんな高い値段のティッシュペーパーを買うでしょうか。

(2) 地域活性化のために地元商店街の人が知恵を絞り、町おこしの一環として「おいしい100円朝市」を始めた。

(3) A:部長、今までかなり仕事の効率化を進めてきたので、これ以上は無理です。
　　B:そんなことはない。知恵を絞れば、もっと見直す部分が出てくるはずだ。

03 | 付き合い

(1) 先代からの古い付き合いのある会社が、時代の流れには逆らえず、来月会社をたたむことになった。

(2) A:4月から九州支店に支店長として勤務することになりました。
B:ご栄転ですね。おめでとうございます。でも、山田さんとは10年以上のお付き合いでしたから異動されるのは残念です。

(3) 経済情勢が厳しい中、コスト削減のためには、長い付き合いがある業者を切ってでも、より低価格で納品してくれるところと取引せざるを得ない。

04 | 飛び込み（で行く）

(1) 最近は面識も約束もない個人宅へ飛び込みで行く営業は少なくなっているように思います。

(2) 飛び込み営業の第一歩は、来訪目的をはっきり伝え、ドアを開けて話を聞いてもらうことだ。

(3) 新入社員に飛び込み営業させる会社はまだまだ多いですが、これは仕事の厳しさを実感させると同時に度胸を付けさせるという目的もあるようです。しかしながら費用対効果から見て非効率的であることは確かです。

05 | ツテ

(1) 貿易業務に精通している人材が必要なので、人材派遣会社だけでなく、ツテを頼って探しています。

(2) A社にご挨拶に行くにしてもツテがないものですから、田中さんにお口添えいただけると大変助かります。

(3) A:日本で就職したいのですが、どうやって留学生を採用する会社の情報を入手すればいいんでしょうか。
B:確かに留学生向けの就職情報は少ないですね。私は大学の先輩のツテで今の会社を見つけました。

コラム│人を呼ぶ時の「君、さん」使い分け

A:林(リン)君ちょっといい？
B:はい。課長、何でしょうか。
A:後藤(ごとう)君の様子がちょっと気になってね。
B:後藤(ごとう)さんですか。

社内では上司は役職名で呼ぶことが普通です。上司が部下を呼ぶ場合は「君」または「さん」を使います。「さん」で統一している会社もありますが、まだまだ少ないようです。

ロールプレイ

1

A：あなたは、YMプラスティックス包装資材部1課の社員です。
課内会議に出席しています。
①以下の内容を入れて、外食産業チェーン「ミヤコ・ホールディングス」との新規取引の提案をしてください。
　・厳しい経済状況で今期の業績見通しが良くない
　・新たな取引先を開拓したい
　・ミヤコ・ホールディングスは焼肉チェーン店「きく屋」とファミレス「ロイヤルカスト」を全国展開している
　・業務用ゴミ袋から始めたい
②すぐに営業を始める意思を示してください。

B：あなたはYMプラスティックス包装資材部1課の社員です。
課内会議に出席しています。以下の理由などを挙げ、社員Aの提案を支持する意見を述べてください。
　・深センの工場から業務用ゴミ袋を安く仕入れることができる
　・業務用ゴミ袋は、最初に売り込む商品としては最適である

C：あなたはYMプラスティックス包装資材部1課の課長です。
課内会議に出席しています。社員Aの提案を受けて、
①新規取引提案の根拠や、その後の展開などについて質問してください。
②営業活動に入る前に、取引先のダイヤフードに紹介してもらうようアドバイスをしてください。

2

A：あなたは、YMプラスティックス包装資材部1課の社員です。販売促進会議に出席しています。自分で提案理由を考えて、新商品の提案をしてください。
（提案例：プリント柄のゴミ袋、宅配便用新型ビニール袋など）

B：あなたは、YMプラスティックス包装資材部1課の社員です。販売促進会議に出席しています。社員Aの提案を支持する意見を述べてください。理由は自分で考えてください。

C：あなたはYMプラスティックス包装資材部1課の課長です。販売促進会議に出席しています。社員Aの提案を受けて、新商品提案の根拠や問題点などを質問してください。

企業文化について考えよう

ケーススタディ　私の言い分 ——「情報の共有って？」

　私は東京に本社がある商社で働いているジャッキーです。2週間前、休暇で母国に帰っていました。休暇中に地元のホテルのカフェで友人と話している時、取引先の加藤部長が隣のテーブルで1人でコーヒーを飲んでいるのに気づき、びっくりして声をかけました。加藤部長は、「出張で来ていたんだけれど、ビジネス絡みのゴルフが急にキャンセルになり1日空いてしまって、何をしようかと考えていたところなんだ。」と言いました。私も友人もその日は特別、予定がなかったので、「よかったら、この辺をご案内しましょうか。」と部長に言いました。いつもはちょっと怖そうな加藤部長ですが、この時は申し訳なさそうに「そうしてもらえるととてもうれしい。」と言いました。それで、友人と一日街を案内しました。加藤部長は思いがけない一日観光を楽しんでいるようでした。

　休暇から戻った後、上司の西田課長と仕事で加藤部長の会社を訪問しました。加藤部長は会うなりニコニコして「ジャッキーさん、この間は本当にお世話になりました。ご友人にもくれぐれもよろしく伝えてください。西田課長、この間出張に行った時にジャッキーさんとご友人にすっかり世話になっちゃってね。」と言ってきました。課長は返答に困ったように「はあ。そうですか。」としか言いませんでした。後で課長から「休暇中何があったの？　いつも仏頂面の加藤さんに急にああ言われても何と言っていいか分からないよ。友達と何をしたの？　会社関係の情報は共有しておかないと、こういう時に困るんだよね。知っていれば加藤部長の話にもっとましな受け答えができただろう？」と言われてしまいました。私は休暇中のことなので、いちいち課長に話す必要はないと思いました。

1．休暇中に、同じような状況にあったら、あなたも取引先の人を案内しますか。

2．加藤部長が、ジャッキーさんに世話になったと言った時、西田課長はどんな気持ちだったと思いますか。

3．あなたがジャッキーさんの立場だったら、休暇中のできごとを課長に話しますか。

4．上司とどこまで情報を共有すべきだと思いますか。

異文化ロールプレイ 「メールでの情報の共有」

場面:「ダイトク」企画販売課オフィス
坂井:「ダイトク」企画販売部課長
グエン:「ダイトク」企画販売部社員、入社1年、ベトナム出身

坂井課長

> 先日、グエンさんが新規発注できそうなベトナム工場があると言ってきました。課全体での検討事項とするために、最初から課員で情報を共有しておく必要があります。グエンさんに、入手したベトナムの工場情報を流すよう、CC欄に部員の田中と金のアドレスを入れてメールを出しました。
> しかし、グエンさんからの返信メールのCC欄には、田中と金が入っていませんでした。グエンさんを呼んで情報共有について、話し合ってください。

グエン

> 先日、母国の親戚から、優良工場の情報が寄せられました。ダイトクは新規製造工場を探していますが、その条件に合っていると思われたので、早速課長に伝えました。その後、課長から、工場情報を部内に流すようメールが届きました。そのメールのCC欄には他の部員のアドレスが入っていましたが、自分が得た大事な情報なので、課長だけに返信しました。
> 課長に呼ばれたら、価値のある情報は、上司に伝えて方針が決まるまでは他の人と共有したくないことなど、自分の気持ちを伝えてください。

10課

ビジネス会話の流れを学ぼう
新規顧客を開拓する

企業文化について考えよう
ケーススタディ　私の言い分―「人前で怒るなんて！」
異文化ロールプレイ「メンツ〜人前での叱責」

ビジネス会話の流れを学ぼう

新規顧客を開拓する

●林は焼肉チェーン店「きく屋」、ファミリーレストラン「ロイヤルカスト」を全国展開する「ミヤコ・ホールディングス」と取引を行いたいと考えている。そこで、YMプラスティックスの取引先であり、かつ、「ミヤコ・ホールディングス」と取引関係のある食品卸業「ダイヤフードサプライ」の近藤さんに電話をかけ紹介を依頼する。

フローチャート

電話で	相手―課員 (近藤)(林)	挨拶	会社名・(部署・)名前 [課員] 用件の切り出し
	課員	事情を説明し、面識のある人への紹介を依頼する	
	相手	承諾する	
	課員	礼を述べる	
	相手	連絡方法を提示する	
	課員―相手	挨拶	

モデル会話

近藤 …… はい、ダイヤフードサプライ、近藤です。
林 …… YMプラスティックスの林です。ご無沙汰しております。
近藤 …… あ、林さん、お久しぶりです。お元気ですか。
林 …… ええ、おかげさまで、何とかやっております。あの、今日はちょっとお願いがあってお電話をいたしました。今、お話ししてもよろしいですか。
近藤 …… ええ、何でしょうか。
林 …… 実は、私ども、ミヤコ・ホールディングスさんとお取引ができたらと考えております。御社は、確かミヤコさんとは長年お取引があると以前伺ったことを思い出しました。それで、もし、お差し支えなければ、ご紹介をお願いできればと存じまして……。えー、あいにく私どもはツテがないもので……。ずうずうしいお願いとは存じますが、いかがでしょうか。
近藤 …… えーと、そうですね。それでしたら、渡辺さんという人が総務にいます。渡辺さんでしたら相談に乗ってくれると思います。今日中にでもメールを出しておきましょう。CCで林さんにもお送りしておいたほうがいいでしょうかねえ。
林 …… はい、そうしていただけると助かります。お手を煩わせて申し訳ありません。
近藤 …… いえいえ。2、3日中に電話で連絡を取ってみてください。
林 …… はい、ありがとうございます。それでは失礼いたします。
近藤 …… 失礼します。

語彙・表現

◎練習しましょう

01｜確か〜

(1) 確か9月に事務所を移転されると伺った気がするのですが、9月の何日でしょうか。

(2) A：5月1日のご予約ですか。リストにお名前が見当たらないのですが……。
　　 B：そんなはずはないですよ。確か田中さんという方だったと思いますが、電話で予約を受け付けてくれましたよ。

(3) A：課長の出張、火曜日からだった？
　　 B：うーん、確か水曜からに変更になったと思うけど。

> 「確か」か「確かに」を入れてください。
> (1) 早速の納品、ありがとうございます。＿＿＿＿＿＿100ケース受領いたしました。
> (2) 早速の納品、ありがとうございます。＿＿＿＿＿＿110ケース注文したはずですが。
> (3) A：すみません。＿＿＿＿＿＿この間会費を払った気がするのですが、調べていただけますか。
> 　　 B：はい、山田様、＿＿＿＿＿＿今月分までお支払いいただいております。

02｜〜もので……

(1) A：この請求金額、端数だけでも何とかなりませんか。
　　 B：あいにく、今期はうちもキツキツなもので……。

(2) A：この時期に値上げですか。
　　 B：申し訳ありません。ご迷惑をおかけするのは重々承知しているんですが、円高がかなり響いてきているもので……。

(3) A：P200-ABを20台お願いしたいんですが。
　　 B：ありがとうございます。ただ納入まで少しお時間をいただけますでしょうか。今在庫を切らしているもので……。

「〜もので」は理由を表す時に使います。後ろの部分は言わないことが多いです。

「～もので……」を使って文を完成させましょう。
(1) 追加納品にお応えできず申し訳ありません。＿＿＿＿＿＿＿＿＿＿＿＿＿＿＿＿。
(2) 連絡が遅れてすみませんでした。＿＿＿＿＿＿＿＿＿＿＿＿＿＿＿＿＿＿＿＿。
(3) 課長、明日休ませていただいてもよろしいでしょうか。＿＿＿＿＿＿＿＿＿＿＿。

03 | ～と助かる

(1) 勝手を言って申し訳ありませんが、お約束の時間を変更していただけると助かります。
(2) A：見本市の準備、人手が足りないようでしたら、うちの課から人を回しましょうか。
　　B：ありがとうございます。そうしていただけると助かります。
(3) A：課長、今日中に会議の資料の準備を終わらせておきましょうか。
　　B：悪いねえ。もう帰る時間なのに。でも、そうしてもらえると助かるよ。

会話を完成させましょう。
(1) A：サンプルはいつまでにお持ちすればよろしいでしょうか。
　　B：来週末までに＿＿＿＿＿＿＿＿＿＿＿＿＿＿＿＿＿＿＿＿。
(2) A：それでは本日中に見積書を郵送いたします。
　　B：急ぎますので、とりあえず＿＿＿＿＿＿＿＿＿＿＿＿＿＿＿＿＿。
(3) A：＿＿＿＿＿＿＿＿＿＿＿＿＿＿＿＿＿＿＿＿＿＿＿＿。
　　B：そうしてもらえると助かるよ。

◎確認しましょう

01 おかげさまで、何とかやっています／おかげさまで／何とかやっています

（1）A：近頃どうですか。
　　　B：はい、おかげさまで、何とかやっています。
（2）A：増資の記事読みましたよ。大躍進ですね。
　　　B：ありがとうございます。おかげさまで。
（3）A：最近、仕事のほう、どう？
　　　B：うーん、何とかやってるって感じですよ。

「お元気ですか」「近頃どうですか」「ご商売のほうはいかがですか」などの質問に答える時の定型表現です。問題なく仕事や生活をしているという意味で使われます。

02 お差し支えなければ、〜と思いまして……

（1）お差し支えなければ、資料を拝見できないかと思いまして……。
（2）お差し支えなければ、来期の事業計画をお話ししていただけないかと思いまして……。
（3）お差し支えなければ、来週新商品のご説明に上がりたいと思いまして……。

03 手を煩わす

（1）A：ここに書いてある書類が全部必要なんですか。
　　　B：はい。ですが、私どもで全て準備させていただきます。お客様のお手を煩わせることのないようにいたしますので、ご安心ください。
（2）A：ご依頼のあった5年前の資料のコピーです。
　　　B：ありがとうございます。お手を煩わせてしまい、申し訳ありませんでした。
（3）A：作成した資料をチェックしたけど、特に問題はなかったよ。
　　　B：ありがとうございます。できるだけ先輩の手を煩わせないよう頑張ります。

ロールプレイ

1

A:あなたは、食品卸業「ダイヤフードサプライ」の近藤です。
取引のあるYMプラスティックス社員Bの依頼を受けて、「ミヤコ・ホールディングス」総務の渡辺さんを紹介すると返事をしてください。方法は自分で考えてください（メールをする／電話をかける／会った時に伝える）。

B:あなたは、YMプラスティックス包装資材部1課の社員です。
取引のある食品卸業「ダイヤフードサプライ」の近藤さんに電話をかけて、外食産業チェーン「ミヤコ・ホールディングス」と取引を始めたいので、誰か紹介してくれるよう依頼してください。適切に電話を終えてください。

2

A:あなたは、食品卸業「ダイヤフードサプライ」の近藤です。
取引のあるYMプラスティックス社員Bの紹介依頼の電話に対応してください。外食産業チェーン「ABC・ホールディングス」とは現在は取引がなく、紹介する人が思いつかないと返事をしてください。

B:あなたは、YMプラスティックス包装資材部1課の社員です。
取引のある食品卸業「ダイヤフードサプライ」の近藤さんに電話をかけて、外食産業チェーン「ABC・ホールディングス」と取引を始めたいので、誰か紹介してくれるよう依頼してください。断られてもすぐに諦めないでください。適切に電話を終えてください。

企業文化について考えよう

ケーススタディ　私の言い分 ——「人前(ひとまえ)で怒るなんて！」

　日本の運輸(うんゆ)会社に勤めているティエンです。日本に来る前にベトナムの企業で働いていました。日本の大学を卒業し、働き始めて半年たちました。多少とまどうこともありましたが、大学の授業で日本の企業文化について勉強してきたので、すぐに慣れました。

　うちの会社は大きい部屋に机が向かい合って何列も並んでいます。一人一人パーティション（つい立(たて)）で仕切(しき)られているわけではありません。向かいの人や隣の人が何をしているか一目(ひとめ)で分かります。課長の机は少し離れたところにあります。課長は課員が何をしているか見える位置にいるわけです。課員と課長の距離が近くていいシステムだと思います。同じ課の人も課長も皆いい人でいろいろ教えてくれます。でも、ちょっと気になることがあります。

　先輩(せんぱい)の桜庭(さくらば)さんが川口(かわぐち)課長によく怒られます。川口(かわぐち)課長が何を言っているのか課員に全部聞こえてしまいます。報告書の期日(きじつ)を守らないとか、数字が違っているといったことです。この間(あいだ)は川口(かわぐち)課長の声が一段と高くなり「こんなことじゃだめだ。どうしてこんな簡単なことができないのか。この頃だらけているんじゃないか。もっとしっかりしろ。」と怒鳴(どな)っているのが聞こえました。桜庭(さくらば)さんは意気消沈(しょうちん)した様子で席に戻ってきました。私は何と声をかけていいか分かりませんでした。でも、不思議なことに次の日になると桜庭(さくらば)さんは、いつもの元気な桜庭(さくらば)さんに戻り、何事もなかったように仕事をしているのです。

　私の国では、上司とは自分の感情を常にコントロールできる人です。喜怒哀楽(きどあいらく)を表に出し、怒って大声を上げるようなことは考えられません。人前(ひとまえ)で部下を罵倒(ばとう)するような人が上司だったなんて失望しました。私が同じように怒鳴(どな)られたら私は自分の人格(じんかく)を否定されたような気がするでしょう。叱(しか)られた後は仕事などできるはずがありません。私だったらすぐに辞めるでしょう。日本人はどうして平気でいられるのでしょうか。不思議で仕方ありません。

1．人前で叱られたことがありますか。その時どんな気持ちでしたか。

2．どうして川口課長は課員のいる前で桜庭さんを叱ったのでしょうか。

3．どうして桜庭さんは翌日になったら元の桜庭さんに戻ったのでしょうか。

異文化ロールプレイ 「メンツ〜人前での叱責」

場面:「東京ITテクノ」事業部オフィス
渡辺:「東京ITテクノ」事業部課長
キラン:「東京ITテクノ」事業部社員、入社2年、インド出身

渡辺課長

> キランさんが作成した見積書が予想より高額なので、チェックしたところ、作業単価が指示したものと1桁違っていました。
> 単純ミスが会社にとって大きな損失につながることもあります。社員全員に気を引き締めてもらいたいと思い、自分の机に呼んで、大きな声で注意しました。
> その後、キランさんの様子がいつもと違うようです。
> キランさんを会議室に呼んで、説明を聞いて対応してください。

キラン

> 最近仕事が立て込んでいて、書類作成に追われています。
> それで、先日、見積書作成で作業単価の桁間違いを見逃してしまいました。ミスは反省していますが、事業部のみんなに聞こえるような声で叱責されたことに耐えられません。
> 課長に失礼にならないように、自分の気持ちを伝えてください。

11課

ビジネス会話の流れを学ぼう
新規顧客とアポイントを取る

企業文化について考えよう
ケーススタディ　私の言い分―「目標は高いほうがいいに決まっているじゃない？」
異文化ロールプレイ「目標設定と評価」

ビジネス会話の流れを学ぼう

新規顧客とアポイントを取る

●林はダイヤフードサプライの近藤さんから紹介されたミヤコ・ホールディングスの渡辺さんに電話をかけ、面談のアポイントを取る。

フローチャート

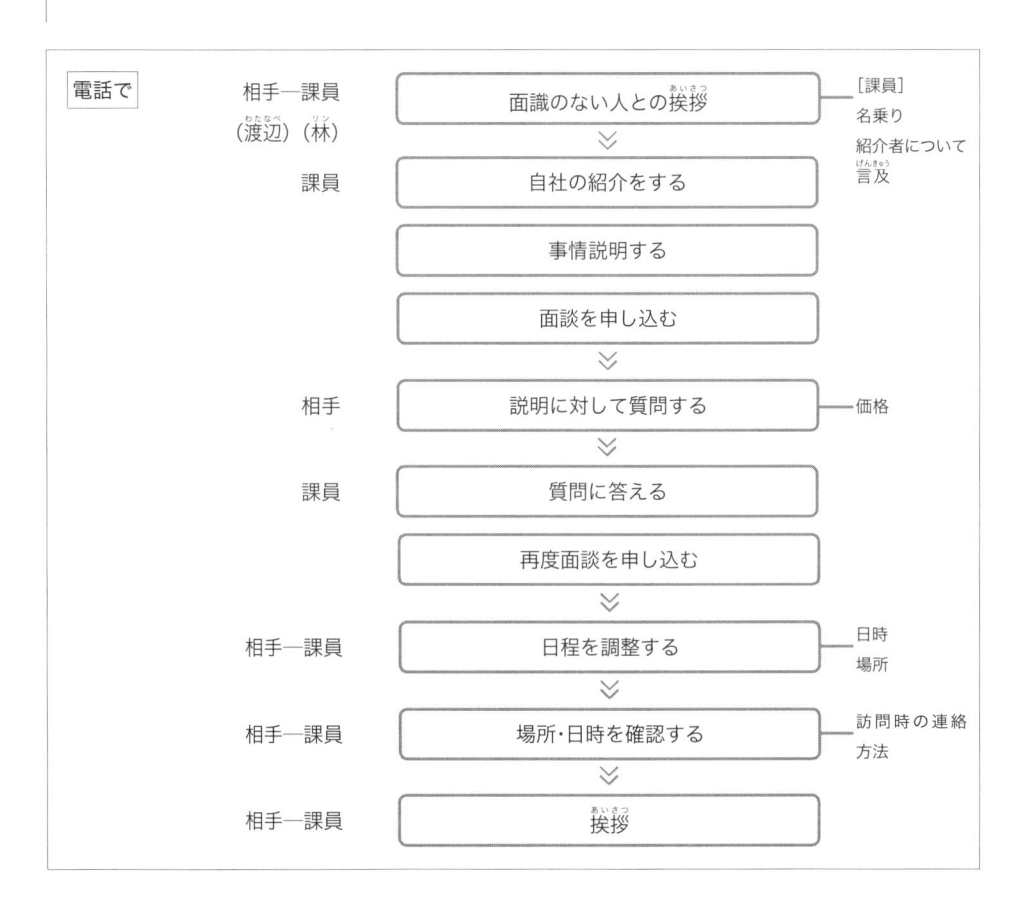

電話で			
相手—課員 （渡辺）（林）	面識のない人との挨拶	［課員］ 名乗り 紹介者について言及
課員	自社の紹介をする	
	事情説明する	
	面談を申し込む	
相手	説明に対して質問する	価格
課員	質問に答える	
	再度面談を申し込む	
相手—課員	日程を調整する	日時 場所
相手—課員	場所・日時を確認する	訪問時の連絡方法
相手—課員	挨拶	

モデル会話

渡辺 ── はい、ミヤコ・ホールディングス総務部、渡辺です。

林 ── 私、YMプラスティックスの林と申します。先日ダイヤフードサプライの近藤様から、ご紹介のメールを送っていただいたのですが……。

渡辺 ── はいはい。林さん、ですね。はい。近藤さんからのメール、拝見しました。

林 ── 恐れ入ります。弊社はプラスティック製品全般を扱っております。この度、弊社では従来品より価格を抑えた業務用ゴミ袋を販売できるようになりまして……。御社は「きく屋」さんと「ロイヤルカスト」さんを全国展開していらっしゃるので、私どもの商品を入れていただけたら、経費削減にお役に立てるのではないかと考えております。

渡辺 ── はあ。

林 ── 弊社では業務用ゴミ袋だけではなく、多数の用度品もそろえております。是非一度お話しさせていただきたいと存じます。お時間をいただければ幸いですが、いかがでしょうか。

渡辺 ── そうですね。業務用ゴミ袋は、どの程度の価格なんですか。

林 ── はい、容量120リットル、厚さ0.025ミリが、1枚当たり12円でご提供できます。

渡辺 ── なるほど。悪くはないですね。

林 ── お電話でお話しするより、御社に実物をお持ちし、ご説明させていただいたほうがよろしいかと思います。いかがでしょうか。

渡辺 ── そうですねえ。うーん、来週の水曜日以降でしたら何とか時間が取れますが……。

林 ── はい。ありがとうございます。

渡辺 ── では、木曜日の2時はどうでしょうか。

林 ── はい、来週、木曜日の午後2時ですね。承知いたしました。

渡辺 ── 私どもの事務所はお分かりですか。

林 ── はい。渋谷のパーク・プラザですね。

渡辺 ── ええ、その12階に総務部があります。エレベーター前に内線電話がありますので、1206を押してください。

林 ── はい。では、来週10日、木曜日、午後2時に12階に伺います。内線

　　　　　　　　イチニーゼロロク
　　　　　　　1206ですね。

渡辺 …………　はい。お待ちしています。

林　 …………　ありがとうございました。失礼いたします。

語彙・表現

◎練習しましょう

01｜はい／はいはい／はあ〈返事〉

（1）A：わたくし、ジョン・ブラウンと申します。覚えていらっしゃいますか。昨年ビッグサイトの展示会で御社のPOX4の性能について詳しくご説明いただきました。
　　B：はいはい、覚えています。ブラウンさんですね。POX4についてよく研究されていて、厳しいご質問を頂きました。

（2）A：こちらが新たに開発した製品で、品質には自信を持っております。
　　B：はあ、品質に自信をお持ちなのは分かりますが、値段がかなり高いですね。コストパフォーマンスの点はどうなんでしょうか。

「はいはい」は、言い方によっていい加減に聞き流している印象を与えることがあるので注意が必要です。「はあ（下降調）」も相手の発話に対する返事としてよく使われますが、積極的な賛意は含まれていません。イントネーションによっていろいろな意味（不審・疑問・驚きなど）を表すので、「はいはい」同様、言い方に注意が必要です。

「はい」「はいはい」「はあ」のどれを使ったらいいでしょう。答えは1つとは限りません。

（1）A：こちらのシステムを導入することによって、人件費の削減にもなるかと思いますが、いかがでしょうか。
　　B：＿＿＿＿＿＿、でも、初期費用がかなりかかるんじゃありませんか。

（2）A：今後は小さなことでも問題が起きたらすぐに報告すること。現場だけで処理しないように。
　　B：＿＿＿＿＿＿、これからは報告を徹底します。

（3）A：あのう、初めてお電話いたします。先日御社主催のシンポジウムで名刺交換をさせていただいたBBAのソンと申しますが、お分かりでしょうか。
　　B：＿＿＿＿＿＿、BBAのソンさんですね。弊社の新商品についてご質問いただいたこと、覚えております。

02 恐れ入ります

(1) A：この書類、椅子に置いてあったんですが、どなたか前にいらした方がお忘れになったものじゃないですか。
　　B：恐れ入ります。こちらでお預かりしておきます。

(2) A：お客様、お手数ですが、ビルの入館証をお付けいただけますか。
　　B：首から掛ければいいんですね？
　　A：はい。恐れ入ります。

(3) A：品質管理を重視なさっていることはお話でよく分かりましたが、実際に製造過程を見学させていただくことはできますか。
　　B：はい、もちろんです。少々お待ちいただけますか。係の者に連絡いたします。
　　A：恐れ入ります。

「恐れ入ります」「申し訳ありません」「すみません」のどれを使ったらいいでしょうか。答えは1つとは限りません。

(1) 店員：ただいまカードをお作りいたしますので、＿＿＿＿＿＿がこちらの用紙にご記入いただけますか。
　　客：＿＿＿＿＿＿。どことどこに書けばいいのかよく分からないんですけど。
　　店員：＿＿＿＿＿＿。こちらの太枠の部分にご記入をお願いいたします。

(2) A：先日ご依頼のあったお見積りですが、ご希望通り3案お持ちいたしました。
　　B：＿＿＿＿＿＿。お手数をおかけして＿＿＿＿＿＿。

---

03 〜ば幸いです

(1) この分野でご活躍の先生からご助言いただければ幸いです。

(2) できるだけ多くの方からご意見をお聞かせ願いたいと思っています。皆様にご協力いただければ幸いです。

(3) A：先日は貴重な資料をありがとうございました。助かりましたよ。
　　B：お役に立ったのであれば幸いです。

「〜ば幸いです」を使って文を完成させましょう。

(1) 弊社の商品をお使いになったご感想はいかがでしょうか。アンケートに＿＿＿＿＿＿＿＿＿＿＿＿＿＿。

(2) 弊社が自信を持ってお勧めする商品です。ご購入を＿＿＿＿＿＿＿＿＿＿＿＿＿＿。
(3) A：この間初めてこちらの美容オイルを買ったんですけど、とても良かったですよ。
　　B：ありがとうございます。＿＿＿＿＿＿＿＿＿＿＿＿＿＿＿＿＿＿＿＿。

04｜何とか～できる／する　　何とかなる

(1) A：品薄で入荷が遅れているのは分かりますが、来月のキャンペーンまでに一定量を確保していただきたいのですが。
　　B：はい。何とか50台は納品できるよう努力いたします。

(2) A：色が違っていたのはそちらの責任なんですから、それで、納品が遅れるというのは納得できませんよ。
　　B：申し訳ございません。何とか期限に間に合うよう現地の工場に製造を急がせます。納入日の確定まで今少しお時間を頂ければと思います。

(3) A：来週の屋外イベントは天気が心配ですね。
　　B：小雨程度だったら何とかなるのですが……。

ビジネスの世界では「何とかする」をモットーに行動するのが基本です。そのため、「何とかなる」は使い方によっては無責任に聞こえるので注意が必要です。

「何とか～」を使って会話を完成させましょう。
(1) A：できれば来月から新システムを稼働させたいんですが、作業の進捗状況からいって無理でしょうかねえ。
　　B：＿＿＿＿＿＿＿＿＿＿＿＿＿＿＿＿＿＿＿＿＿＿＿。
(2) A：無理なお願いだとは思いますが、至急PS-2000を100台納入していただきたいのですが。売れ行きが良くて、一両日中には在庫がなくなりそうなんですよ。
　　B：＿＿＿＿＿＿＿＿＿＿＿＿＿＿＿＿＿＿＿＿＿＿＿。
(3) A：この時期は海外に行かれるお客様が多いので、チケットの手配が難しいのですが……。
　　B：たぶんそうだろうとは思ったんですが、急に出張することになっちゃったんですよ。
　　　＿＿＿＿＿＿＿＿＿＿＿＿＿＿＿＿＿＿＿＿＿＿＿。

◎確認しましょう

01｜なるほど〈あいづち〉

(1) A：これからはサービスそのものを提供するだけでなく、我が社が積み上げてきたサービスのノウハウを生かし、研修ビジネスの分野にも事業を広げていく予定です。
　　B：なるほど。

(2) A：こちらのボタンを押せば瞬時に画面が切り替わります。今までの操作より、はるかに簡単です。
　　B：なるほど。シニアにとって、この機能は確かに便利ですね。

(3) A：こちらのフルーツビールはターゲットを20代から30代の女性に絞り、会社帰りにカフェで1人、気軽に口にできるおしゃれなアルコール飲料として開発いたしました。
　　B：なるほど。で、価格はどうなっていますか。

「なるほど」は、「よく分かりました」「納得しました」などの意味で使われますが、目上の人に何度も使うと生意気に聞こえるので、「よく分かりました」「そういうことだったんですね」など、違う表現と組み合わせて使ったほうがいいでしょう。

02｜悪くはないですね

(1) A：それでは、今月中にご契約いただいた場合、設置工事費を通常の半額、使用料金を1か月分無料にさせていただくということでいかがでしょうか。
　　B：まあ、悪くはないですね。

(2) A：X社からの見積りですが、Y社から相見積りを取っていると言ったら、総額の3パーセントオフでどうかと言ってきました。
　　B：うん、悪くはないね。

(3) A：来春のポスターデザインをちょっと考えてみたんですが、春を意識して淡いグリーン系にしました。これで良かったら詰めていきたいんですが、どうでしょうか。
　　B：どれどれ。うん、悪くはないね。でも、字の色はもう少し濃いほうがいいんじゃない？

03 | うーん　〈間を持たせる表現〉

（1）うーん、困ったな。少し考えさせてほしいな。
（2）うーん、弱(よわ)りました。何とか両者(りょうしゃ)が納得(なっとく)できる方法が見つかるといいんですけど。
（3）うーん、それはどうかなあ。思い込みで判断するのは良くないよ。

「うーん」は、困った時や、迷っている時、考えている時に間を持たせるために使う表現です。目上の人に使うと失礼に聞こえるので注意しましょう。

ロールプレイ

1

A：あなたは、外食産業チェーン「ミヤコ・ホールディングス」総務部課長の渡辺です。
食品卸業「ダイヤフードサプライ」の近藤さんから、YMプラスティックス社員Bを紹介するメールが届いていました。Bから電話がかかったら、話を聞いて面談の約束をしてください。

B：あなたは、YMプラスティックス包装資材部1課の社員です。
食品卸業「ダイヤフードサプライ」の近藤さんにお願いして、外食産業チェーン「ミヤコ・ホールディングス」総務部課長の渡辺さんをメールで紹介してもらいました。渡辺さんに電話をかけ、訪問の約束をしてください。初めての電話なので、会社概要（プラスティック関連商品の取り扱い）を説明し、「ミヤコ・ホールディングス」が全国展開している焼き肉チェーン「きく屋」とファミリーレストラン「ロイヤルカスト」に良質で安価な商品を納入したいと伝えてください。

2

A：あなたは、スーパーマーケット「マルセン」の田中です。
食品卸業「ダイヤフードサプライ」の近藤さんから、YMプラスティックス社員Bを紹介するメールが届いていました。Bから電話がかかったら、話を聞いて面談の約束をしてください。

B：あなたは、YMプラスティックス包装資材部1課の社員です。
食品卸業「ダイヤフードサプライ」の近藤さんにお願いして、スーパーマーケット「マルセン」の田中さんをメールで紹介してもらいました。田中さんに電話をかけ、訪問の約束をしてください。初めての電話なので、会社概要（プラスティック関連商品の取り扱い）を説明し、「マルセン」に業務用ゴミ袋や、ロゴ入りビニール袋について、良質で安価な商品を納入したいと伝えてください。

企業文化について考えよう

ケーススタディ　私の言い分 ——「目標は高いほうがいいに決まっているじゃない？」

　私は化粧品関連会社に勤めているチンです。営業を担当しています。日本の大学を卒業し働き始めて1年たちました。商品の売り込みに奔走(ほんそう)している毎日です。

　うちでは、どの会社でも行われているように、営業課員が各自、毎月売上目標を決めます。私は、このくらい売れたら会社にとって利益が出るし、達成できたら自分の評価も上がるだろうと考えて、高めの目標を設定します。先月売上目標を出した時に、課長から、「目標がいつも高すぎるんじゃない？　無理なんじゃない？」と言われましたが、目標はあくまで目標ですし、高いほうがいいに決まっていますから「いいえ、できます。」と答えました。実際にやってみると、やはり売上はそんなに伸びませんでした。でも、将来のことは誰にも分からないので、私の責任じゃないと思っています。課長からは、初めから無理な設定はしないように注意を受けました。でも、目標と現実が違うのはよくあることです。高い目標を立ててもひょっとしたらできるかもしれないじゃないですか。目標を高く設定することのどこがいけないのでしょうか。

1．あなたが目標を立てる時、ゴールを無理のない範囲に設定しますか、それとも高めに設定しますか。それはどうしてですか。

2．チンさんが達成困難な目標を設定する背景(はいけい)にはどのようなことが考えられますか。

3．チンさんは、今後社内でどのような目標を立てたらいいと思いますか。

異文化ロールプレイ 「目標設定と評価」

場面:「ツーリスト・ジャパン」営業企画課オフィス
佐藤:「ツーリスト・ジャパン」営業企画課課長
周:「ツーリスト・ジャパン」営業企画課社員、入社3年、中国出身

佐藤課長

> ツーリスト・ジャパンでは上司と担当者が、設定した目標を元に話し合いで評価をするシステムを導入しています。
> 周さんは、今期の初めに、目標を売上高20パーセント増、新規取引先を2社開拓すると設定しました。しかし、期末に達成状況を確認したところ、売上高は前年度並み、新規開拓は1社で終わりました。
> 周さんの目標設定に無理がなかったか、また、なぜ達成できなかったのか、質問してください。

周

> ツーリスト・ジャパンでは上司と担当者が、設定した目標を元に、話し合いで評価をするシステムを導入しています。
> 今期の初めに、佐藤課長と話し合って、今期の目標を、売上高20パーセント増し、新規取引先を2社開拓すると設定しました。しかし、期末に達成状況を確認したところ、売上高は前年度並み、新規開拓は1社で終わりました。
> 設定目標と結果について、社会状況等を説明しながら、自分の仕事について評価できると主張してください。

12課

ビジネス会話の流れを学ぼう
商品を売り込む
コラム　会社名等に付ける敬称「さん」

企業文化について考えよう
ケーススタディ　私の言い分－「能力だけじゃいけないの？」
異文化ロールプレイ「同僚の昇進と不満」

ビジネス会話の流れを学ぼう

商品を売り込む

●林はミヤコ・ホールディングス総務部の渡辺さんを訪問する。

フローチャート

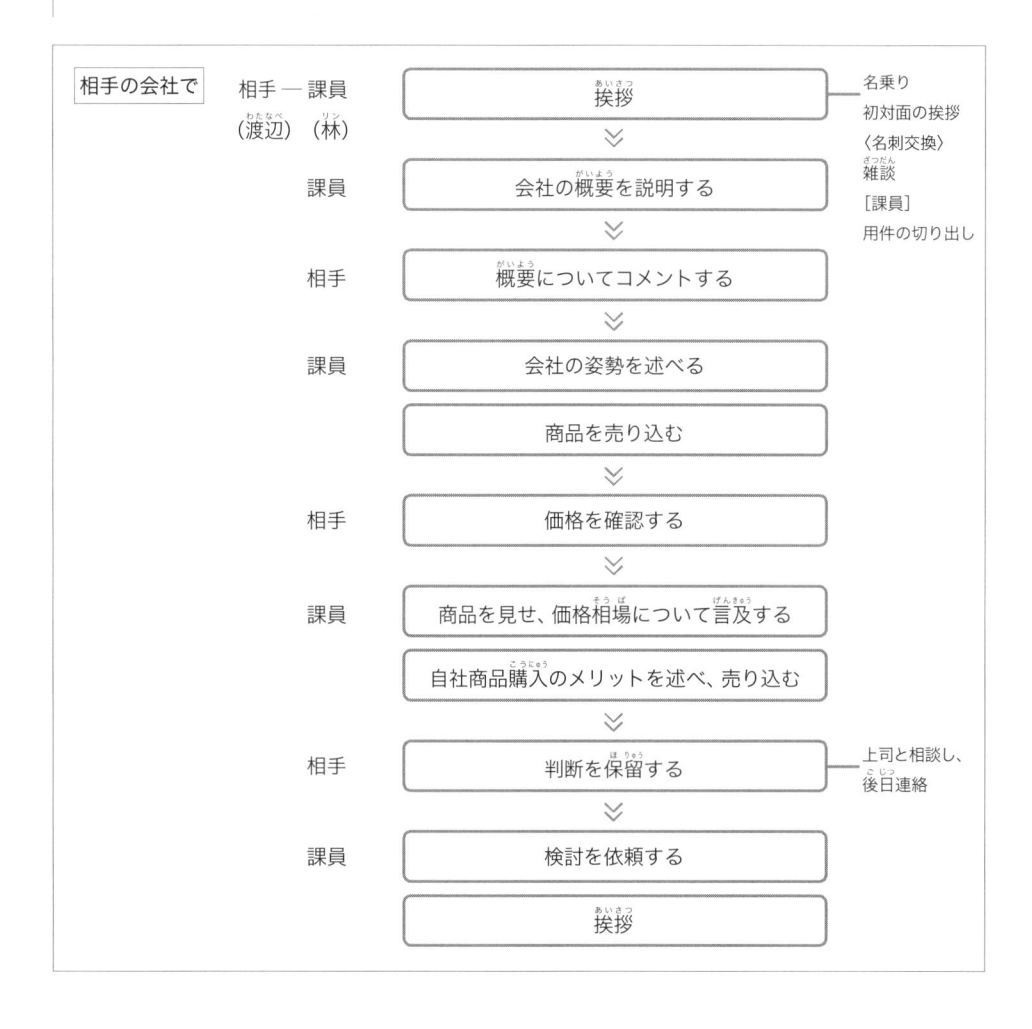

場所	話者	内容	備考
相手の会社で	相手—課員 (渡辺)(林)	挨拶	名乗り 初対面の挨拶 〈名刺交換〉 雑談 [課員] 用件の切り出し
	課員	会社の概要を説明する	
	相手	概要についてコメントする	
	課員	会社の姿勢を述べる	
		商品を売り込む	
	相手	価格を確認する	
	課員	商品を見せ、価格相場について言及する	
		自社商品購入のメリットを述べ、売り込む	
	相手	判断を保留する	上司と相談し、後日連絡
	課員	検討を依頼する	
		挨拶	

モデル会話

渡辺　お待たせしました。

林　YMプラスティックスの林でございます。よろしくお願いいたします。
（名刺交換）

渡辺　総務の渡辺です。こちらこそ、どうぞよろしくお願いします。どうぞおかけください。

林　失礼いたします。本日はお忙しいところお時間を割いていただきありがとうございます。

渡辺　いえいえ、暑いところお越しいただきありがとうございます。毎日うだるような暑さですね。

林　そうですね。例年より暑さが厳しいようですね。では、早速ですが、お電話で少しお話しした件について、ご説明させていただきたいと思います。

渡辺　はい、よろしくお願いします。

林　私どもは、プラスティック製品全般の製造販売を行っております。

渡辺　はい、御社のホームページで会社概要は拝見しました。国内はもとより海外の工場とも連携なさっていて、ここ5、6年で飛躍的に売上を伸ばしていらっしゃいますね。

林　恐れ入ります。大手さんには、まだまだ及びませんが、会社の規模が小さい分、お客様のニーズに合ったきめ細かい対応ができると自負しております。また、海外の工場の選定基準もかなりハードルを高く設定し、品質には万全を期しております。

渡辺　はあ。

林　今年からは、新たな中国工場との提携で従来と同じ品質で廉価な業務用ゴミ袋をご提供できることになりました。

渡辺　お電話では容量120リットル、厚さ0.025ミリで1枚当たり12円ということでしたよね。

林　（現物を見せながら）はい、こちらでございます。現在このタイプですと、1枚当たり13.5円が主流です。おそらく御社でもこの辺りの価格で仕入れていらっしゃるのではないかと存じます。

渡辺　ええ、まあ、だいたいそんなところですね。

林	……	御社の場合、24時間営業の店が、合計100店舗ほどかと存じますので、1日当たり20枚使うと想定した場合、えー、全店舗合計で1日当たり2,000枚、1か月で6万枚の消費量になります。そうしますと、1か月81万円です。弊社のものですと1枚当たり12円ですから、1か月72万円で、差額は9万円になります。1年ですと108万円の差が出ます。長期的には、かなり経費削減になると思います。
渡辺	……	そうですねえ、悪いお話ではないとは思いますが……。上と相談しないと私の一存では何とも申し上げられないんです。上に話を通して、また後日、こちらからご連絡をさしあげるということでよろしいですか。
林	……	はい、ご検討の程よろしくお願いいたします。
渡辺	……	はい。
林	……	今日は貴重なお時間をいただきまして本当にありがとうございました。それではご連絡をお待ちしております。失礼いたします。

語彙・表現

◎練習しましょう

01 | ま／まあ

（1）ま、そうお急ぎにならずに……。

（2）ま、お一つどうぞ召し上がってください。

（3）まあ、やれるだけやってみます。

「ま／まあ」は、軽く相手を制止したり、促したり、また自分の気持ちを述べたりする時に使います。

> 「ま／まあ」を使って返事をしましょう。
> （1）A：先日のお話では、弊社への追加の融資は難しいということでしたが……。
> 　　　B：＿＿＿＿＿＿＿＿＿＿＿＿＿＿＿＿＿＿＿＿＿＿＿＿＿＿＿＿＿＿＿＿。
> （2）A：今ここでSデパートに出店するかしないか決断しないと、うちはZ社に遅れを取ってしまいますよ。
> 　　　B：＿＿＿＿＿＿＿＿＿＿＿＿＿＿＿＿＿＿＿＿＿＿＿＿＿＿＿＿＿＿＿＿。
> （3）A：この間お話しした海外勤務希望の件なんですが、どうなりましたでしょうか。
> 　　　B：＿＿＿＿＿＿＿＿＿＿＿＿＿＿＿＿＿＿＿＿＿＿＿＿＿＿＿＿＿＿＿＿。

02 | いえいえ

（1）社交辞令や感謝、褒め言葉への返事

　　A：いつもお世話になっております。

　　B：いえいえ、こちらこそお世話になっております。

（2）否定

　　A：FZ505の製造打ち切りといううわさを耳にしたんですが。

　　B：いえいえ、それは単なるうわさでして、そういうことはございません。うちとしましてもそのうわさには困っているんです。

ビジネス会話の流れを学ぼう | 125

「いえいえ」を使って会話を完成させましょう。
(1) A：ソンさんの交渉力はさすがですねえ。おかげさまでスムーズにまとまり感謝しています。
　　B：＿＿＿＿＿＿＿＿＿＿＿＿＿＿＿＿＿＿＿＿＿＿＿＿＿＿＿＿。
(2) A：本社移転の話を聞いたんですが。
　　B：＿＿＿＿＿＿＿＿＿＿＿＿＿＿＿＿＿＿＿＿＿＿＿＿＿＿＿＿＿＿。

03 ～はもとより

(1) 最近の行き過ぎた円高は、輸出製造業はもとより、国内のさまざまな産業に大きな影響を及ぼしている。
(2) さくら酒造は本業の酒造はもとより、酵母を利用した健康食品の製造でも大きな収益を上げている。
(3) 不景気の影響から、多くの企業で新規採用減はもとより、大幅な人員削減も行われ、雇用不安を増大させている。

文を完成させましょう。
(1) 壊滅的な被害を受けた被災地に、＿＿＿＿＿＿＿はもとより、＿＿＿＿＿＿＿寄付金が集まった。
(2) 先月開業したテーマパークは、子供はもとより、＿＿＿＿＿＿＿＿＿＿＿＿＿。
(3) ファストファッションH&Yの製品は、＿＿＿＿＿＿＿＿＿＿＿＿＿＿＿＿＿。

04 ～分、～

(1) 最近の栄養ドリンクは値段が高い分、効果も大きいようです。
(2) この商品は高品質の原料を使っている分、価格も通常の品より高くなっています。
(3) 今回のプロジェクトでは本当に苦労しました。でも、その分、完成した時の感動も大きかったですね。

文を完成させましょう。

(1) あの会社は給料が高い分、_____。
(2) A:お客さんのところに謝りに行って、結局どうなった？
    B:うん。商品の納入が遅れた分、_____。
(3) A:今期の業績の見通しは前期と比べてどうですか。
    B:そうですね。円高が進行した分、_____。

◎確認しましょう

01｜自負する

(1) 最高級の原料を使用していると自負するだけあって、日の出ビールの風味は格別だ。
(2) 我が社は介護ビジネスのパイオニアだと自負しております。
(3) この店舗の品ぞろえは日本一だと自負しております。

02｜万全を期す

(1) 商品の品質には万全を期しておりますが、万が一当社の責任による不具合があった場合は、返送料当社負担でお取り替えいたします。
(2) 仕上がりには万全を期しておりますが、色に関しましては見本と若干異なる場合があります。
(3) 従業員にはサービスに万全を期すよう教育を行っております。そのおかげでお客様からも高い評価を頂いております。

03｜主流

(1) 各通信会社ともスマートフォンの販売に力を入れている。この1年で携帯電話の主流はスマートフォンに移行した。
(2) 音楽ＣＤの売上が激減しているのは、デジタル配信によるダウンロード販売が主流になったからだ。
(3) スーパーで売っている米は5キロパックが主流だが、最近は単身者向けの1キロパック、2キロパックも品ぞろえが充実してきた。

04 | 悪い話ではない

(1) 昇進へのステップだと考えれば、今度の地方転勤も君にとって悪い話じゃない。

(2) A：合併で会社の規模が大きくなるのは悪い話ではないけど、何しろ吸収合併だからね……。

　　B：じゃあ、リストラされる可能性もあるってことですか。

(3) A：この間のお話なんですが、今回はお断りしようかと思いまして……。

　　B：そうですか。仕事の内容も、年収も条件としては悪い話ではないと思いますがね……。

コラム｜会社名等に付ける敬称「さん」

(1) 地元企業さんのご理解とご協力を得ながら進めていきたいと存じます。

(2) 大手の旅行会社さんのパッケージツアーでは組み込めないホテルやレストランと契約していることが強みです。

(3) ダイヤフードさんから企画課宛てに荷物が届いています。

一般的には会社名に敬称は付けませんが、取引関係などがある時は敬称を付ける場合が多いです。職場によって、また場面によってさまざまなので、まわりの状況を把握して、その場での使い方を身に付けることが大切です。

ロールプレイ

1

A:あなたは、YMプラスティックス包装資材部1課の社員です。
外食産業チェーン「ミヤコ・ホールディングス」総務部の渡辺さんを訪ね自己紹介をし、少し雑談をしてください。会社概要（プラスチック関連商品の取り扱い）を説明し、会社の強み（きめ細かい対応）を述べてください。
従来品と同等の品質で廉価な業務用ゴミ袋（厚さ0.025ミリ、1枚12円）を使うと、店舗全体で年間108万円の経費削減になると売り込んでください。
渡辺さんの話を聞き、検討を依頼し、最後に挨拶をしてください。

B:あなたは、外食産業チェーン「ミヤコ・ホールディングス」総務部課長の渡辺です。
YMプラスティックス社員Aの訪問を受けて、挨拶をし、少し雑談をしてください。商品の説明を聞きながら質問をしてください。会社の状況（上の判断が必要である）を説明し、検討することを伝えてください。

2

A:あなたは、YMプラスティックス包装資材部3課の社員です。
包装資材部1課と取引のあるファミリーレストラン「サニーズ」の小泉さんを訪ね、キャンペーンなどで使うノベルティを売り込んでください。「サニーズ」のキャンペーンについて尋ね、従来品と同等の品質でデザイン性の高いノベルティを提案してください。
小泉さんの話を聞き、検討を依頼し、最後に挨拶をしてください。

B:あなたは、ファミリーレストラン「サニーズ」の小泉です。
YMプラスティックス社員Aの訪問を受けて、挨拶をし、説明を聞きながら質問をしてください。「サニーズ」の状況（年2回のキャンペーンで使うノベルティは、創業以来同じところから仕入れている／ノベルティの予算が削減された／上の判断が必要である）を説明し、検討することを伝えてください。

企業文化について考えよう

ケーススタディ　私の言い分 ──「能力だけじゃいけないの？」

私はファミリーレストランで働いているキムです。働き始めて5年になります。うちの会社は、初めての海外支店を私の国で出す予定です。将来、そこでマネジメントに携わりたいと思っています。今は日本で店長になるのが目標です。

先日うれしいことがありました。30歳の若い原田さんが原宿店店長に昇格しました。原田さんはアルバイトをしながら夜間大学を卒業して入社した女性です。最初に原田さんが配属された店舗は彼女が来てから売上が2倍になり、次の配属先の店舗でも同じような結果になりました。女性の店長は初めてですし、うちでは40代になってから店長になるのが普通です。年齢、性別、大学名に関係なく、能力のみで昇格したのは原田さんが第1号です。この決定に対して一部の社員が部長に抗議したようです。多くは若い女性のもとで働くのは難しい、もっと経験のある社員を昇格させないのはおかしいといった文句だったと後から聞きました。私は、原田さんの昇格は画期的だと思っています。能力があればどんどん上に行くのは当然です。でも、他の人から抗議があったことを考えると、原田さんはこれから大変なんじゃないかとちょっと心配しています。日本の会社で昇進したいと思ったら、年を取るのを待っていないといけないんでしょうか。これでは働くモチベーションが下がってしまいます。何だかおかしなシステムだと思います。私が日本で店長になるのは無理なのでしょうか。

1. あなたの国の企業では、能力主義と年功序列主義のどちらが優先されますか。

2. 原田さんの昇進が問題になった背景としてどんなことが考えられるでしょうか。

3. 原田さんが他のスタッフとうまくやっていくためにはどのようなことが必要だと思いますか。

4. キムさんは日本で店長になれると思いますか。

異文化ロールプレイ 「同僚の昇進と不満」

場面:「東京ITテクノ」事業部オフィス
渡辺:「東京ITテクノ」事業部課長
呉:「東京ITテクノ」事業部社員、入社1年、中国出身

呉

> ソフト開発の経験の浅い、入社2年目のイ・ジンスさんがチームリーダーになりました。自分は入社1年でも、中国で5年のソフト開発の経験があるという自負があります。どうして自分がリーダーになれないのか、渡辺課長に理由を聞いてください。

渡辺課長

> イ・ジンスさんは、真面目で明るく、人をまとめることが得意なので、そこがいい点だと評価しています。呉さんの話を聞いて、不満解消に努めてください。

13課

ビジネス会話の流れを学ぼう
催促（さいそく）の電話をかける

企業文化について考えよう
ケーススタディ　私の言い分―「縁故（えんこ）採用のどこが問題？」
異文化ロールプレイ「コネ（縁故（えんこ）採用）」

ビジネス会話の流れを学ぼう

催促(さいそく)の電話をかける

●林がミヤコ・ホールディングスの渡辺さんと会ってから1週間が過ぎたが、渡辺さんから連絡が来ない。そのため林は渡辺さんに電話をかける。

フローチャート

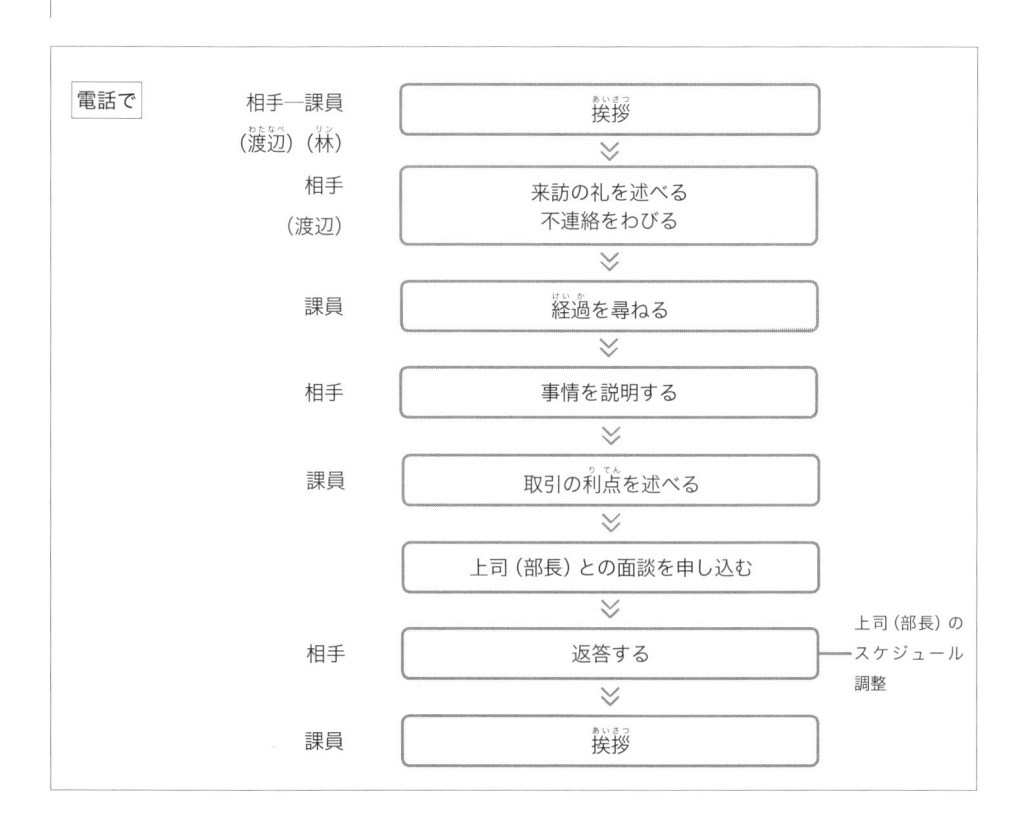

```
電話で
```

相手―課員（渡辺）（林）	挨拶
相手（渡辺）	来訪の礼を述べる／不連絡をわびる
課員	経過を尋ねる
相手	事情を説明する
課員	取引の利点を述べる
	上司（部長）との面談を申し込む
相手	返答する　　→上司（部長）のスケジュール調整
課員	挨拶

| モデル会話

渡辺 ……… はい、ミヤコ・ホールディングス、総務部、渡辺でございます。
林 ……… YMプラスティックスの林でございます。
渡辺 ……… あ、林さん、先日はおいでいただきありがとうございました。こちらからご連絡をさしあげると言っておきながら、そのままにしてしまい申し訳ありませんでした。
林 ……… いいえ。えー、それで、あの、お取引の件ですが、その後ご検討いただけましたでしょうか。
渡辺 ……… ええ、私は御社の話は悪くないと思っているんですが……。実は、今の取引先からも同じようなオファーがありまして……。そこは創業当時からお付き合いがあるところでして、それで値段的に大差がないのであれば、そこを切ってまで御社に変えるのはちょっとと、部長が難色を示しているんですよ。
林 ……… そうですか。先日お話ししました中国工場はかなりレベルが高く、管理体制も整っております。ご提示した価格は他社さんには負けないと思いますし、他にもサービスさせていただきたいと考えております。お電話ではなんですから、また、御社に伺って上の方にご説明させていただけないでしょうか。
渡辺 ……… そうですね。部長のスケジュールを調整して、折り返しお電話いたします。
林 ……… はい。よろしくお願いいたします。失礼いたします。

語彙・表現

◎練習しましょう

01｜〜ておきながら

（1）会議で一度賛成しておきながら、今になって反対するなんてと思われるかもしれませんが、その後の調査によりリスクが大きいと判断した次第です。

（2）売上20パーセントアップという目標を立てておきながら、10パーセントアップにも届かず、全くの力不足です。

（3）本日までに全額お支払いするとご連絡しておきながら、それができず誠に申し訳ありません。

文を完成させましょう。
（1）会社側は5パーセントのベースアップを約束しておきながら、＿＿＿＿＿＿＿＿＿＿。
（2）資料をすぐにお送りすると申し上げておきながら、＿＿＿＿＿＿＿＿＿＿。
（3）U社の社長は社員にはコンプライアンスを重視するよう言っておきながら、＿＿＿＿＿＿＿＿＿＿＿＿＿＿＿＿＿＿＿＿。

02｜〜てまで

（1）私の国では、家族を犠牲にしてまで会社のために働くということは考えられません。

（2）部長が社内の反対を押し切ってまでこのプロジェクトを推し進めようとしているが、どうしてなのか私には理解できない。

（3）アイツに頭を下げてまで契約を取るのは嫌だと思ったけど、目標達成のためには背に腹は替えられない。

「〜てまで」を使って文を完成させましょう。
（1）＿＿＿＿＿＿＿＿＿＿海外進出する必要はないという気持ちが社長にはあるようです。
（2）どうしてそんなにこの企画にこだわるんですか。＿＿＿＿＿＿＿＿＿＿押し通すほどのものじゃないでしょ。
（3）A：そろそろマンションを買おうかなと思っているんだ。
　　B：頑張るねえ。俺は＿＿＿＿＿＿＿＿＿＿買わなくてもいいと思っているよ。

03 | 〜もなんですから

(1) メールのやり取りだけで出版の話を詰めるというのもなんですから、一度お会いしてお話ししたほうがいいでしょうか。

(2) 全体について一度に議論というのもなんですから、今回は先日の報告書に上がった課題に絞って意見交換しましょう。

(3) 一気にトップ同士というのもなんですから、まずは担当者レベルで話を進めるという段取りでいかがでしょうか。

「〜」について言葉にしたくない・できない、はっきり言いたくない、うまく言えない、言うとくどい、などの状況下で、「良くない」「しないほうがいい」をぼかして使う表現です。

> 文を完成させましょう。
> (1) その件については立ち話もなんですから、＿＿＿＿＿＿＿＿＿＿＿＿＿。
> (2) 会議の時間を延長するのもなんですから、＿＿＿＿＿＿＿＿＿＿＿＿＿。
> (3) こんなことを社内で話すのもなんですから、＿＿＿＿＿＿＿＿＿＿＿＿＿。

◎確認しましょう

01 | オファー

(1) A:X社から業務提携のオファーがありました。
　　B:相手がX社だったら悪い話じゃないね。検討の余地がありそうだね。

(2) せっかくのオファーですが、現状ではお受けすることができず残念です。

(3) ヘッドハンターからY社の投資部門のマネージャーのポジションに就かないかというオファーがあった。

02 | 大差がない

（1）ファッションメーカーのA社とB社の商品は、価格はかなり違うが、品質面では大差がない。

（2）目的地までの所要時間はいずれもほぼ1時間で大差がないことが分かったので、料金が一番安いルートで行くことにした。

（3）どの機種も性能には大差がありません。アプリケーションがそれほど必要でなければ、こちらで十分かと思います。

03 | 難色を示す

（1）来月会社が忙しいのは分かっていたが、1週間の有給休暇を願い出たところ、案の定、部長は難色を示した。

（2）A：X社との新規取引の話、うまくいってるの？
　　B：うーん、担当者レベルでは話が進んでるんだけど、あちらの上司が難色を示してるんだ。それで、今度、こっちも部長に一緒に行ってもらうことにしたよ。

（3）政府が打ち出した高齢者福祉政策を巡っては、財政負担が増すことに一部の地方自治体が難色を示している。

ロールプレイ

1

A：あなたは、ミヤコ・ホールディングス総務部課長の渡辺です。
YMプラスティックス包装資材部1課社員Bからの電話を受けて、業務用ゴミ袋の新規取引についての検討結果を伝えてください。自分自身は、YMプラスティックスからの提案は悪くないと思っていますが、創業当時から付き合いのある会社から価格面で同様の提案があり、部長は取引先を変えたくないようです。
訪問の希望があったら、日程調整後、連絡すると伝えてください。

B：あなたは、YMプラスティックス包装資材部1課の社員です。
ミヤコ・ホールディングス総務部課長の渡辺さんに電話をかけ、先日提案した件の検討結果を尋ねてください。相手が乗り気でない場合は、好条件をほのめかし、直接部長に会いたいと申し入れてください。
〈提案内容〉
焼き肉チェーン「きく屋」とファミリーレストラン「ロイヤルカスト」に良質で安価なゴミ袋を新規に納入できる。

2

A：あなたは、ファミリーレストラン「サニーズ」の小泉（こいずみ）です。
先日、YMプラスティックス社員Bがノベルティについて、取引の提案をしに来ました。社内で検討したところ、賛成意見もありましたが、谷川（たにがわ）部長は現在の取引先（さき）を変えたくないようです。Bから訪問の希望が出たら、日程調整をしてから連絡すると伝えてください。

B：あなたは、YMプラスティックス包装資材部3課の社員です。
先日、ファミリーレストラン「サニーズ」の小泉（こいずみ）さんを訪ね、キャンペーンなどで使うノベルティを売り込みました。小泉（こいずみ）さんに電話をかけ、検討結果について尋ねてください。上司を説得（せっとく）する必要があれば説明に行きたいと伝え、面談を申し入（い）れてください。

企業文化について考えよう

ケーススタディ　私の言い分 ──「縁故採用のどこが問題？」

　私は大阪に本社を置くアパレルメーカーに勤めているズンです。

　うちの会社では今度私の国に支店を開設することになりました。今までは駐在事務所で、本社からの日本人社員1人と現地採用の社員が1人だけの小さなオフィスでした。新しい支店には大山部長が支店長として、そして、私が営業の責任者として赴任することになりました。

　今朝、その大山部長から支店では事務員を数人雇う予定だという話を聞きました。そこで私は兄弟、いとこ、遠い親戚で働けそうな人がいるので、事務員として雇ってもらえないかと話しました。すると大山部長はちょっとびっくりしたように「それじゃ、'ズン一族'になってしまうよ。ズンさんの親戚の人が悪いと言っているわけではないんだけど、やはり広告を出して、いろいろな人を面接してから決めたほうがいい人材が集まると思うよ。」と言いました。今度は私がびっくりするほうでした。広告を出したり、面接をしたりする手間を考えれば、身元がちゃんとしている私の親戚のほうがいいに決まっています。私の国では会社の中に何人も親戚がいるのが一般的です。何もおかしいことはないと思います。どうして大山部長が親戚の人を入れることに反対するのか分かりません。わたしの考えは間違っているのでしょうか。

1．あなたの国でも似たようなことがありますか。

2．ズンさん、支店長がそれぞれびっくりしたのはどうしてだと思いますか。

3．縁故採用のメリット、デメリットは何だと思いますか。

4．ズンさんの親戚の人は新しい支店で働くことができるでしょうか。

異文化ロールプレイ 「コネ〜縁故採用」

場面:「ダイトク」企画販売部オフィス
王(オウ):「ダイトク」企画販売部社員、入社3年、中国出身
坂井(さかい):「ダイトク」企画販売部課長

王(オウ)

ダイトクの大手取引先の郭(カク)社長に、来年、息子をダイトクで採用してもらいたいので、上層部に話を通してほしいと頼まれました。そこで、そのことを上層部に伝えてもらうよう課長にお願いしました。数日後課長から呼び出され、上層部では採用するつもりはないと聞きました。
郭社長の息子は現在、日本に留学し、ビジネスを学んでいます。
身元もしっかりしているし、会社の将来にも役立つ話をどうして断るのか理解できません。課長にコネについて自分の考えを伝えてください。

坂井課長

王さんから、大手取引先の郭社長が、息子の就職の話を上層部に通してほしいと言っているという報告を受けました。日本に留学し、ビジネスを学んでいる息子を、来年、ダイトクに採用してもらいたいということです。
ダイトクでは縁故採用はしていません。一応上層部に相談したところ、やはり縁故採用をしないという方針は変えられないという結論になりました。
コネでは採用しないことを王さんに伝えてください。

14課

ビジネス会話の流れを学ぼう
交渉（こうしょう）を進める

企業文化について考えよう
ケーススタディ　私の言い分—「残業は当たり前？」
異文化ロールプレイ「残業」

ビジネス会話の流れを学ぼう

交渉を進める

●林はミヤコ・ホールディングス総務部の北川部長と会い、取引開始に向けて交渉を行う。

フローチャート

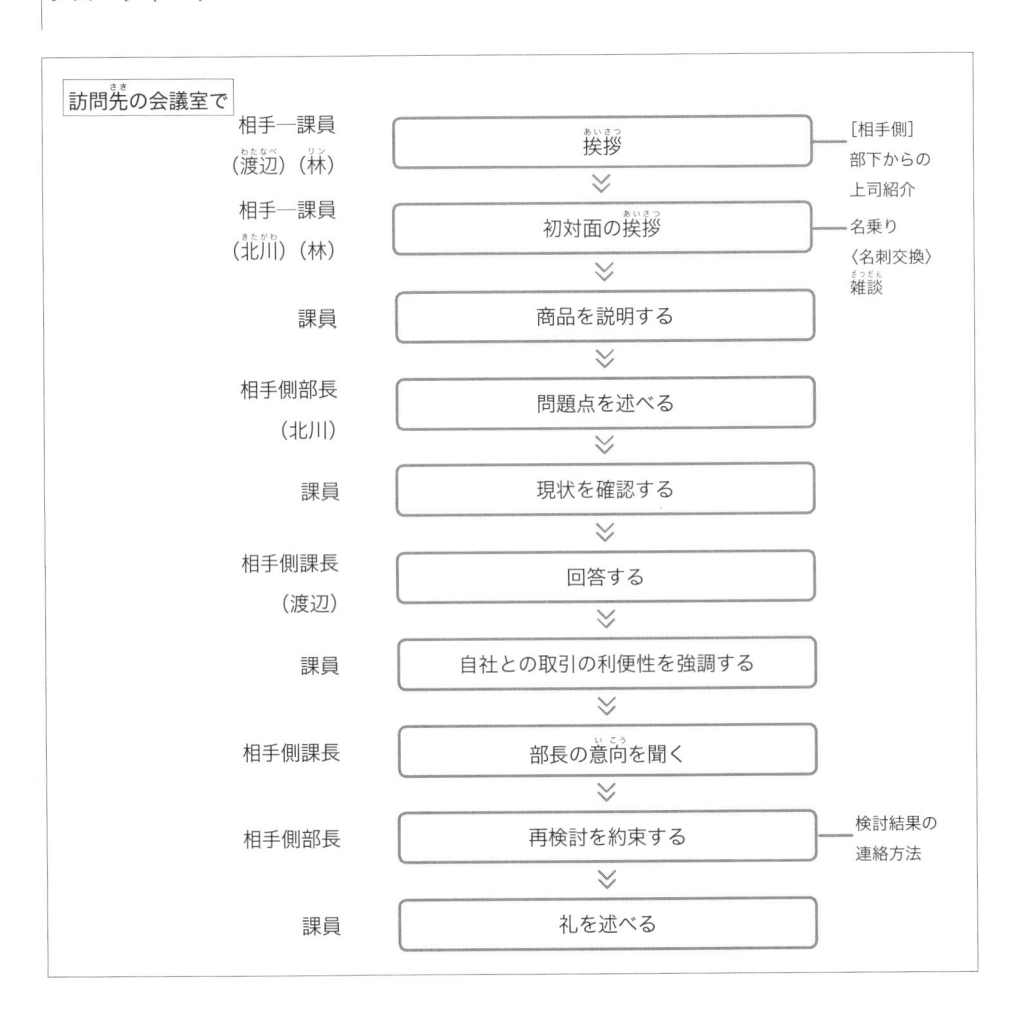

訪問先の会議室で

話者	内容	備考
相手―課員 （渡辺）（林）	挨拶	[相手側] 部下からの 上司紹介
相手―課員 （北川）（林）	初対面の挨拶	名乗り 〈名刺交換〉 雑談
課員	商品を説明する	
相手側部長 （北川）	問題点を述べる	
課員	現状を確認する	
相手側課長 （渡辺）	回答する	
課員	自社との取引の利便性を強調する	
相手側課長	部長の意向を聞く	
相手側部長	再検討を約束する	検討結果の 連絡方法
課員	礼を述べる	

モデル会話

（ミヤコ・ホールディングスのオフィスで）

渡辺 …… お待たせしました。わざわざお越しいただき恐縮です。

林 …… いえ。本日はお時間をいただきありがとうございます。（北川に向かって）YMプラスティックスの林でございます。

渡辺 …… 私どもの総務部長の北川です。

北川 …… 北川です。どうぞよろしく。（名刺交換）

林 …… こちらこそ、どうぞ、よろしくお願いいたします。

北川 …… ま、どうぞ、おかけください。

林 …… 失礼いたします。

北川 …… 外はかなり雨が降っていたんじゃないですか。

林 …… はい。台風が接近しているんでしょうか。雨足が徐々に強くなっています。

北川 …… ニュースでこちらに上陸すると言っていましたからね。

林 …… そうですね。えー、では、早速本題に入らせていただきます。先日、渡辺課長からお電話で、現在のお取引先から私どもと同じような価格でオファーが来ていると伺いました。渡辺課長にもお話ししたのですが、新規に提携いたしました中国工場は、上海地区で、技術優秀賞を取るなど、かなりハイレベルな工場です。この価格で同じ強度のビニール袋を製造できるところは私の知る限りでは、今のところないのではないかと思います。安ければ安いほどいいのが用度品ですが、品質も重要な要素ではないでしょうか。その点を是非お考えいただきたいのですが……。

北川 …… おっしゃることはよく分かりますし、まあ、価格も結構だと思います。ただ、今、仕入れている業者とは創業以来の長い付き合いがありまして、何かとこちらの無理を聞いてくれるんですよ。それで、ま、多少高くついても、このまま続けたほうがいいかと考えている次第でして……。

林 …… そうですか。そちらとのお取引はビニール袋だけでいらっしゃいますでしょうか。

渡辺 …… はい。そこはビニール袋専門業者なので、他の用度品は別の業者から仕入れています。

林 ……………… 私どもでは、こちらのカタログにございますように用度品全般を扱っておりますので、ビニール袋だけではなく、店舗で使われているプラスティックに関する商品を全てお納めできます。また、お子様向けのノベルティや、包装容器も扱っており、その企画開発も手掛けております。長期的に見れば、複数の会社と個々にお取引をなさるより、時間も短縮され、またコストも削減できることは確かです。今すぐにということではございませんが、トータルにお考えいただければ、御社にとって決して損なお話ではないと存じます。

渡辺 ……………… なるほど、そうですね。いかがでしょうか、部長。

北川 ……………… お話はよく分かりました。この件に関しては、再度検討し、結論を出すようにします。では、一両日中に渡辺から連絡させます。

林 ……………… ありがとうございます。是非よろしくお願いいたします。

語彙・表現

◎練習しましょう

01 | わざわざ

(1) おいしいという評判を聞いて、遠方からわざわざ食べに来る人もいるそうです。

(2) その程度の用件だったら、わざわざ電話しなくてもメールで済ませばいいんじゃない。

(3) A：こんな小さなことはわざわざ課長に報告するまでもないんじゃないですか。
　　B：それはだめだよ。新入社員研修で、報連相が大事だって教わっただろう。

「わざわざ」「せっかく」のどちらがいいでしょう。答えは1つとは限りません。

(1) ＿＿＿＿＿＿＿時間をかけて調べたのに役に立たなくて残念だった。

(2) ＿＿＿＿＿＿＿ホームページを作ったからには、もっと活用していきたいと思う。

(3) 山田さんの＿＿＿＿＿＿＿のご厚意だから、明日はありがたく休ませていただきます。

(4) お忙しい中＿＿＿＿＿＿＿ご参加いただき、ありがとうございます。

---

02 | 〜の／が知る限りでは

(1) 私が知る限りでは、御社のシステムを超えるものはありません。

(2) 私どもが知る限りでは、この条件でここまでのサービスをご提供している会社はないと思います。

(3) 一社員として（私が）知る限りでは、社内で不正が行われている様子は全くありません。

文を完成させましょう。

(1) 私の知る限りでは、日本の製造業＿＿＿＿＿＿＿＿＿＿＿＿＿＿＿＿＿＿＿＿。

(2) 私の知る限りでは、最近の日本の大学生＿＿＿＿＿＿＿＿＿＿＿＿＿＿＿＿＿＿＿＿。

(3) 私が知る限りでは、多くの日本の観光地＿＿＿＿＿＿＿＿＿＿＿＿＿＿＿＿＿＿＿＿。

03 | 何かと

(1) 年末、何かとお忙しい中、ご出席をいただきありがとうございます。
(2) 工事期間中、地域の皆さまには何かとご不便をおかけいたしましたが、ご協力いただき深く感謝しております。
(3) パソコンを買い替えて、友達の結婚式に出席して、おまけに駐車違反の罰金まで払って、最近、何かと出費が多い。

> 文を完成させましょう。
> (1) 昨年は、何かと_____。
> (2) 先日の見本市では、何かと_____。
> (3) 新店舗のオープンで、何かと_____。

04 | 〜ということではないが

(1) 今日、明日中にということではありませんが、早めにお返事をいただいたほうが商品の手配に間違いがないと思います。
(2) 全てにということではないのですが、一部の製品に不具合が見つかったので、念のために全製品を市場から回収することにしました。
(3) どうしてもということではありませんが、こちらの新しいタイプの保険に変えていただいたほうがご安心かと思います。

> 文を完成させましょう。
> (1) A：部長、何でしょうか。
>   B：いやあ、すぐにということではないんだが、_____。
> (2) A：その後、ご検討いただけましたでしょうか。
>   B：おたくの製品が良くないということではないのですが、_____。
> (3) A：この間、話した企画どう思う？ 上に持って行こうと思うんだけど。
>   B：うーん、だめっていうことじゃないけど、_____。

◎ 確認しましょう

01 | ～ば～ほど

（1）消費者の食の安全に対する意識が高くなればなるほど、食品を見る目も厳しくなる。

（2）円高傾向が長引けば長引くほど、輸出関連企業への打撃は大きくなる。

（3）企業の業績悪化に対する懸念が強くなればなるほど、新たな設備投資に回される資金は減るだろう。

02 | 無理を聞く

（1）通常は注文の一週間後に発送だというのに、今回は無理を聞いてもらって、本当に助かりました。おかげさまで注文の翌々日に届きました。

（2）地元に密着した小売店は量販店と違い、多少の無理を聞いてくれるという利点がある。

（3）会社の近くにあるレストランの店長に、部長の送別パーティーだと言ったら、無理を聞いてくれて土曜の夜なのに貸し切りにしてくれた。

03 | 高くつく

（1）原子力発電は他の発電方式に比べてコストが安いと言われることもあるが、地震のある国では安全対策の費用がかさみ、結局高くつくのではないだろうか。

（2）スマートフォンが急速に普及しているが、オンラインデータへの接続コストが思ったより高くつくこともあるので、購入時に店員から料金体系についてよく説明を聞いたほうがいい。

（3）A：課長、プリンターの調子が悪いんですけど。

B：そう、じゃあ修理に出さなければならないねえ。でも、修理代が高くつくようだったら、新品に買い替えるから、まずは修理にいくらかかるか見積りを取ってみて。

04 | ～次第だ

（1）ショッピングセンターへの出店のお誘いですが、当社では既に来年度の出店計画が決まっておりまして、今回のご提案は見送らせていただこうという結論になった次第です。

（2）海外工場での増産にも努めているのですが、地震による工場倒壊の影響は避けがたく、納期を延ばしていただこうと、お願いに上がった次第です。

（3）取引銀行である第一銀行の後押しもあり、大幅な増資をさせていただく次第となりました。

05 | 一両日中

（1）一両日中にお見積りをお送りいたしますので、ご検討ください。

（2）ご注文の商品は、ご入金ご確認後、一両日中に発送させていただきます。

（3）一両日中に展示会のポスターのレイアウト見本をお届けできると思います。

「1日か2日で」「今日、明日中に」と同じ意味で、ビジネスでよく使われる表現です。

ロールプレイ

1

A:あなたは、YMプラスティックス包装資材部1課の社員です。
外食産業チェーン「ミヤコ・ホールディングス」に総務部の北川部長と渡辺課長を訪ね、挨拶をしてください。少し雑談をしてから、新規取引について交渉してください。
① 同じ値段でも高品質であることを、製造工場が技術優秀賞を取ったことなどを例に挙げ説明してください。
② 現在の取引先が扱っているものについて質問してください。
③ ビニール袋だけでなく、用度品全般を扱っているという会社の強みを説明してください。

B:あなたは、外食産業チェーン「ミヤコ・ホールディングス」総務部課長の渡辺です。
YMプラスティックス社員Aに北川部長を紹介してください。
Aの説明に対して質問をし、意見を述べてください。

C:あなたは、外食産業チェーン「ミヤコ・ホールディングス」総務部長の北川です。
YMプラスティックス社員Aの訪問を受け、少し雑談をしてください。Aの説明を聞き、質問をしてください。Aに、創業以来の取引先を変更したくない事情を伝えてください。
提案内容を検討し、渡辺課長を通じて一両日中に返事をすると伝えてください。

2

A：あなたは、YMプラスティックス包装資材部3課の社員です。
ファミリーレストラン「サニーズ」の谷川課長と小泉さんを訪ね、キャンペーンで使うノベルティの説明をしてください。谷川課長とは初対面です。
① 同じ値段でも高品質であることを、海外の新進デザイナーがデザイン優秀賞を取ったこと、デザイン料が廉価なことなどを挙げ説明してください。
② 現在の取引先が扱っているものについて質問してください。
③ サニーズとは既にビニール袋の取引があり、納入ルートが確立しているので、別の商品の納入もしやすいなどの理由を挙げ、説明してください。

B：あなたは、ファミリーレストラン「サニーズ」の小泉です。
YMプラスティックス社員Aに谷川課長を紹介してください。
Aの説明に対して質問をし、意見を述べてください。

C：あなたは、ファミリーレストラン「サニーズ」課長の谷川です。
YMプラスティックス社員Aの説明を聞き、質問をしてください。Aに、創業以来の取引先を変更したくない事情を伝えてください。
取引内容を検討し、小泉さんを通じて一両日中に返事をすると伝えてください。

企業文化について考えよう

ケーススタディ　私の言い分 ──「残業は当たり前？」

　私は日本で商社に勤めているハクです。ここは日本でも名の通った企業で、数百倍の難関をくぐり抜けて内定をもらいました。働き始めて1年たちます。

　出勤初日からびっくりしたことがあります。2週間の研修期間が終わってからエネルギー部に配属になったのですが、初日から夜10時まで会社にいるはめになったんです。仕事がない新入社員も課長が帰るまでは帰れない雰囲気だったんです。面接の時は仕事が終わったら帰ってもいいと言われていたので、何だかだまされた感じでした。

　そのうち仕事を任されるようになると、今度は仕事を終わらせるために10時まで残らなければならなくなりました。5時までは営業で外回り、会社に戻ってからは、外出していた間に来たメールの処理や営業関係の書類の整理に追われて、終わるのは早くても10時になってしまいます。早く帰れないこともないのですが、そうするとどんどん仕事がたまっていってしまうんです。土日はとにかくボーっと過ごすだけで終わってしまいます。こんな生活をしていると何のために仕事をしているのか分からなくなってきます。先輩の田中さんにぐちを言うと、「まあ、楽な仕事なんてないし、日本の会社じゃどこに行っても大差ないんじゃないかな。」と言われてしまいました。何だか使い捨て要員として働かされているような気がしてなりません。転職を考えたほうがいいでしょうか。

1．ワークライフバランスという言葉を知っていますか。

2．ハクさんが夜遅くまで会社にいなければならない理由としてどんなことが考えられるでしょうか。

3．ハクさんは転職を考えたほうがいいと思いますか。

異文化ロールプレイ 「残業」

場面：会社の近くの居酒屋
グエン：「ダイトク」企画販売部社員、入社1年、ベトナム出身
田中：「ダイトク」企画販売部社員、入社4年

グエン

5時を過ぎてもほとんどの人が仕事をしています。
課長より先に退社する人はあまりいません。
多少の残業代は支払われますが、ほとんどの場合はサービス残業になっています。
仕事が給料に反映されないことや、上司が会社にいる間は部下が帰れないといった習慣はおかしいと思います。
不満を田中さんに打ち明けてください。

田中

最近5時を過ぎてもほとんどの人が仕事をしています。
多少の残業代は支払われますが、ほとんどの場合はサービス残業になっています。
今の状況がいいとは思っていませんが、不況で人員を削減し社員数が減少していることや、新商品開発件数の増加、発注数の増加などが原因ではないかと思っています。
グエンさんの話を聞いて、残業について、自分の考えを話してください。

15課

ビジネス会話の流れを学ぼう
受注(じゅちゅう)に成功する

企業文化について考えよう
ケーススタディ　私の言い分—「最高の接待はお腹がすくもの？」
異文化ロールプレイ「接待」

ビジネス会話の流れを学ぼう

受注(じゅちゅう)に成功する

●林(リン)にミヤコ・ホールディングスの渡辺(わたなべ)さんから新規に取引をしてもいいという連絡が入る。林(リン)と渡辺(わたなべ)さんは取引の具体的内容について話を詰める。

フローチャート

```
[電話で]
  課員―相手        挨拶(あいさつ)              ―[相手]
  (林)(渡辺)                                      来社の礼
                    ⌄
  相手            検討結果を伝える          ―発注(はっちゅう)決定
                    ⌄
  課員            礼を述べる
                    ⌄
  相手            取引条件を指定する
                    ⌄
  課員            取引条件を確認する
                  追加提案をする
                    ⌄
  相手            返事を保留(ほりゅう)する

[(1時間後、電話で)]
  課員―相手        挨拶(あいさつ)
                    ⌄
  相手            提案内容を承諾(しょうだく)する
                    ⌄
  課員            礼を述べる
```

モデル会話

林 ── はい、YMプラスティックス、包材1課、林でございます。

渡辺 ── ミヤコ・ホールディングスの渡辺です。先日はわざわざご足労いただきありがとうございました。

林 ── いえいえ、こちらこそ北川部長にもお時間をいただきありがとうございました。

渡辺 ── こちらも、あれから検討しまして、今回は御社にお願いしようということになりました。

林 ── ありがとうございます。渡辺課長が後押しをしてくださったおかげです。

渡辺 ── そんなことないですよ。ちょうど今のところとの契約更新の時期だったので、それもあってのことですよ。今は年3回に分けて入れてもらってるんですが、まだ在庫がかなり倉庫にあるんです。ですので、2か月先になりますが、11月から納品していただくということでよろしいでしょうか。

林 ── はい、分かりました。契約はすぐに進めさせていただいてもよろしいですか。えー、現在は年3回でご注文ということですが、年2回、つまり6か月ごとに36万枚を納品という形でご契約いただければ、初回の6か月分に関しましては、特別に10パーセント引かせていただきます。そうしますと6か月分432万円のところ10パーオフで388万8千円となります。いかがでしょうか。

渡辺 ── そうですね……。では、見積書をメールかファックスでいただけますか。お返事は折り返しいたします。

林 ── はい、早速お送りいたします。よろしくお願いします。

（1時間後渡辺課長から電話がかかってくる）

林 ── はい。YMプラスティックス包材1課、林でございます。

渡辺 ── 渡辺です。

林 ── あ、渡辺さん。いかがでしたでしょうか。

渡辺 ── 見積書を拝見しました。11月から6か月ごとの納入で、初回は10パーオフで388万8千円という、そちらのご提案で結構です。

林	ありがとうございます。それでは、早速契約書をお持ちいたします。
渡辺	はい。よろしくお願いします。
林	どうもありがとうございました。今後、他の用度品などもご用命を頂けるようでしたら、いろいろ便宜を図らせていただきたいと存じます。今後ともどうぞよろしくお願いいたします。失礼いたします。

語彙・表現

◎練習しましょう

01｜おかげ／おかげさま

（1）難局を乗り切ることができたのは、部長のバックアップのおかげです。

（2）山田さんのおかげで、大きなトラブルにならずに解決することができ感謝しています。

（3）おかげさまで弊社は今年創業30周年を迎えることができました。

> 「おかげ」「おかげさま」のどちらを使ったらいいでしょう。答えは1つとは限りません。
> （1）義援金は、＿＿＿＿＿＿＿＿で目標額を突破いたしました。
> （2）昨年度の年商が100億円に達しました。これはひとえに、御社の＿＿＿＿＿＿＿＿です。
> （3）今回のイベントは＿＿＿＿＿＿＿＿で大盛況のうちに終了いたしました。

02｜そうですね／そうですか〈あいづち〉

（1）ひとまず相手の言ったことを認めたというサイン

　　A：CDの売上が頭打ちの状況下では、積極的にネット配信を進めていく必要があると思いますが。

　　B：そうですね。しかし、ネット配信で利益を上げるのは難しいんじゃないでしょうか。

（2）相手の言ったことを確認できたという意味

　　A：以前買ったのはAZだと思うんですけど、そちらの記録で分かりますか。

　　B：はい、ただいまお調べいたします。そうですね。確かに昨年の2月にAZをご購入いただいております。

（3）相手の言い分を聞いたというサイン

　　A：明日御社に納入予定の商品ですが、こちらの手配の不手際で、一部、明後日になってしまうものがありまして……。

　　B：そうですか。それは困りましたね。

「そうですね」「そうですか」のどちらが適切でしょう。

(1) A：毎日暑いですね。
　　B：＿＿＿＿＿＿＿＿＿＿。

(2) A：うちの課の来期の売上見通しはかなり期待できるんじゃないか。
　　B：＿＿＿＿＿＿＿＿＿＿。前年比10パーセントアップは可能だと考えております。

(3) A：先日のご提案の件ですが、今期は難しいという結論になりまして……。
　　B：＿＿＿＿＿＿＿＿＿＿。

◎確認しましょう

01｜〜ようということになった

(1) 新製品の開発のため、ターゲットである女子高生を対象にモニター調査を行い、生の声を集めてみようということになりました。

(2) 社員のワークライフバランスを考え、我が社も柔軟な勤務体制を積極的に取り入れようということになりました。

(3) 我が社ではこれまでは日本人学生の新卒採用を中心にしていましたが、今後は優秀な人材であれば、年齢、国籍にかかわらず採用しようということになりました。

02｜後押し（を）する

(1) 政府は資金繰りや税制面などでさまざまな支援策を設け、中小企業の活性化を後押ししている。

(2) 再生可能エネルギーを普及させるためには、政府が技術開発を後押しすることが重要だ。

(3) 部長の後押しもあり、今回のプロジェクトリーダーを務めることになりました。力不足ですが、一生懸命頑張りますのでどうぞよろしくお願いします。

03 | カタカナ語の省略

(1) 暖冬で冬物衣料が振るわない。例年より2週間前倒しで30パーオフで出そう。（パーセントオフ：percent off）

(2) X社の社長にアポなしで会おうなんて無謀だ。（アポイント：appointment）

(3) ブレストは企画案を考える際、有効な手段として使われる。（ブレーンストーミング：brain storming）

長いカタカナ語は短縮されることが多いです。「コンビニエンスストア：convenience store」は「コンビニ」、「インフラストラクチャー：infrastructure」は「インフラ」、「ネゴシエーション：negotiation」は「ネゴ」になります。

04 | 便宜を図る

(1) 弊社では会員システムを取り入れ、登録されたお客様には手続きの際の便宜を図るなどのサービスを提供しております。

(2) 多くの自治体は住民の便宜を図るために、土日も一部の窓口で受付業務を行っている。

(3) A：X社から注文があったAB-200、品薄で入荷が遅れそうだという話はどうなった？

　　B：メーカーの担当者が、うちとは長い付き合いだからと便宜を図ってくれたので、X社の分は何とか確保できました。

ロールプレイ

1

A:あなたは、YMプラスティックス包装資材部1課の社員です。
外食産業チェーン「ミヤコ・ホールディングス」総務部課長の渡辺さんから、電話がかかってきました。先日訪問した際に提案した取引を受諾するということです。納品時期については、渡辺さんの希望を受け入れ、契約はすぐ進めたいと話してください。
見積書を書面で送ると言い、電話を終えてください。

B:あなたは、外食産業チェーン「ミヤコ・ホールディングス」総務部課長の渡辺です。
YMプラスティックス社員Aに電話をかけて、先日、社員Aが来訪時に提案してきた取引を受け入れると話してください。ただ、在庫が2か月分あるので11月からの納品としてもらってください。
契約締結に向けて、見積書を送ってもらってください。

2

A:あなたは、YMプラスティックス包装資材部3課の社員です。
ファミリーレストラン「サニーズ」の小泉さんから先日の訪問時に提案した取引受諾の電話がかかってきました。納品時期については、小泉さんの希望を受け入れ、契約はすぐ進めたいと話してください。
見積書を書面で送ると言い、電話を終えてください。

B:あなたは、ファミリーレストラン「サニーズ」の小泉です。
YMプラスティックス社員Aに電話をかけて、先日、社員Aが訪問した時に提案した取引を受け入れると話してください。ただ、初年度はトライアルということで依頼する、結果が良ければ引き続き依頼するつもりだが、結果が出ない場合は打ち切る可能性があることを伝えてください。契約締結に向けて、見積書を送ってもらってください。

企業文化について考えよう

ケーススタディ　私の言い分 ——「最高の接待はお腹がすくもの？」

　私は日本の大学を卒業して、数年前から貿易会社で働いているシュウです。

　先日、取引先の人から接待を受けました。懐石料理が有名な高級料亭でした。同僚の佐々木さんによると、懐石料理はもともとお茶の席で出される食事から生まれたものらしいです。とても芸術的な料理だからよく見てくるといいとアドバイスを受けました。私は初めての懐石料理を楽しみにしていました。お店はインテリアもすばらしく、とてもいい雰囲気でした。どの料理も料理に合わせた高そうな器に盛ってありました。でも、その量が本当にちょっとなので、2、3口であっという間になくなってしまい、器はすぐに空になってしまいました。最初から最後までどの料理もちょっとずつしかなくお腹がいっぱいになった気がしませんでした。盛りつけは確かに芸術的だったと思います。でも、食事は何と言っても食べるという行為が一番大事です。それなのにちょっとずつしか出てこないのは、何だか物足りないように思います。私の国では、人を招待するときは食べきれないくらいたくさんテーブルに並べるのがおもてなしの礼儀です。

　翌日佐々木さんにそのことを話すと、「食べきれないほど出すなんて、食べ過ぎちゃうこともあるし、残したらもったいないじゃない。懐石料理は一種の芸術なんだし、無駄がないし、いいと思うけどなあ。」という答えが返ってきました。

　今度、私の国から日本は初めてという取引先のお客さんが来ます。日本の伝統的な料理が食べたいと言っています。私はそのお客さんを懐石料理の店に連れて行ったほうがいいのでしょうか。日本の印象が悪くなるような気がします。

1．あなたの国で最高の接待はどうすることだと思いますか。

2．懐石料理を前にしたシュウさんの気持ちを考えてみましょう。

3．シュウさんが持った不満はどこから出てきたと考えられますか。

4．シュウさんは来日するお客さんを懐石料理の店に連れて行くでしょうか。

異文化ロールプレイ 「接待」

場面:「ダイトク」社員休憩コーナー
田中:「ダイトク」企画販売部社員、入社4年
王:「ダイトク」企画販売部社員、入社3年、中国出身

田中

> 新規取引の工場を訪問するため、初めて中国に出張します。
> 前任者から接待や返礼の仕方が日本と大分違うと聞いたことがあります。
> 王さんに、今回の出張で接待された場合、どのような点に注意したらいいか聞いてください。

王

> 田中さんから中国の接待や返礼の仕方について聞かれました。
> 接待された場合の注意点について説明してください。
> ポイント：席順・返杯・テーブルマナー・返礼の習慣

著者
村野節子（むらの　せつこ）
　　元武蔵野大学非常勤講師
　　青山学院大学大学院修士課程修了（国際コミュニケーション）

山辺真理子（やまべ　まりこ）
　　元武蔵野大学非常勤講師
　　立教大学大学院修士課程修了（比較文明学・言語多文化）

向山陽子（むこうやま　ようこ）
　　武蔵野大学客員教授
　　お茶の水女子大学博士後期課程単位取得退学（応用言語学）人文科学博士

イラスト
　　内山洋見

装丁・本文デザイン
　　Boogie Design

ロールプレイで学ぶビジネス日本語
グローバル企業でのキャリア構築をめざして

2012年 5 月22日　初版第 1 刷発行
2025年 1 月23日　第 12 刷 発 行

著　者　村野節子　山辺真理子　向山陽子
発行者　藤嵜政子
発　行　株式会社スリーエーネットワーク
　　　　〒102-0083　東京都千代田区麹町 3 丁目 4 番
　　　　　　　　　　トラスティ麹町ビル 2F
　　　　電話　営業　03（5275）2722
　　　　　　　編集　03（5275）2725
　　　　https://www.3anet.co.jp/
印　刷　株式会社シナノ

ISBN978-4-88319-595-4　C0081
落丁・乱丁本はお取替えいたします。
本書の全部または一部を無断で複写複製（コピー）することは著作権法上での例外を除き、禁じられています。

■ 中上級ビジネス日本語教材

人を動かす！
実戦ビジネス日本語会話 中級

一般財団法人国際教育振興会　日米会話学院　日本語研修所 ● 著

中級1　B5判　109頁　CD1枚付　2,640円（税込）　〔ISBN978-4-88319-742-2〕
中級2　B5判　111頁　CD1枚付　2,640円（税込）　〔ISBN978-4-88319-756-9〕

改訂版 中級からはじめる
ニュースの日本語 聴解40

瀬川由美、紙谷幸子 ● 著

B5判　96頁+別冊40頁　2,200円（税込）　〔ISBN978-4-88319-906-8〕

改訂版 ニュースの日本語 聴解50

瀬川由美、紙谷幸子 ● 著

B5判　205頁+別冊36頁　2,640円（税込）　〔ISBN978-4-88319-926-6〕

■ JLRTの攻略

BJTビジネス日本語能力テスト
聴解・聴読解 実力養成問題集 第2版

宮崎道子 ● 監修　瀬川由美、北村貞幸、植松真由美 ● 著

B5判　215頁+別冊45頁　CD2枚付　2,750円（税込）　〔ISBN978-4-88319-768-2〕

BJTビジネス日本語能力テスト
読解 実力養成問題集 第2版

宮崎道子 ● 監修　瀬川由美 ● 著

B5判　113頁　1,320円（税込）　〔ISBN978-4-88319-769-9〕

スリーエーネットワーク

ウェブサイトで新刊や日本語セミナーをご案内しております。
https://www.3anet.co.jp/

上級レベル

ロールプレイで学ぶ
ビジネス日本語

村野節子・山辺真理子・向山陽子 著

グローバル企業でのキャリア構築をめざして

解答

スリーエーネットワーク

1課

01　まだまだです

（得意になって）はい。前回は全く評価されなかったんですけど、今回はやりましたよ。

（謙遜して）いいえ、まだまだです。

2課

01　承る

(1) 配達日指定は承っておりません。

(2) 出発1週間前まででしたら変更を承ります／承っております。

(3) 田中様のご要望は山村より承っております。

02　クッション言葉

(1) 恐れ入りますが／申し訳ありませんが／お手数をおかけしますが、こちらにもご捺印いただけますか。

(2) 恐れ入りますが／申し訳ありませんが／お手数をおかけしますが／お手数をおかけして申し訳ありませんが、弊社まで一度お越しいただけませんか。

(3) あいにく、田中は席を外しております。

03　～（さ）せていただく

(1) 電話ではなんですから、一度お会いしてお話しさせていただけませんか。

(2) 是非、御社ともお取引させていただけませんでしょうか。

(3) ご注文の品は明日発送いたしますが、一緒に新商品のサンプルも送らせていただきます。

04　よ〈終助詞〉

(1)（同年齢の友人に）東京駅から近いし、とても便利ですよ。

　　（目上の人に）はい、とても快適で仕事がはかどります。

(2) シャワーを使おうとしたんですけど、お湯が出ないんですよ。

(3) 実は、課長からこの頃少したるんでるって言われちゃったんですよ。

3課

01 インフォーマル／フォーマルの言葉の使い分け
(1) 後(のち)ほど改めてご連絡いたします。
(2) 少々お時間がかかりますが、よろしいでしょうか。
(3) 先日お話しした件ですが、その後(ご)どうなりましたでしょうか。
(4) 先ほどA社の田中様からお電話がありました。
(5) 後(のち)ほどご連絡いたします。

02 お／ご ～いただけますか／いただけませんか
(1) それでは、10時にお越(こ)しいただけますか。
(2) 恐(おそ)れ入(い)りますが、こちらにご住所とお名前をご記入いただけませんか。
(3) 数量をご確認いただけますか。

03 ～よう（に）伝える／言う など
(1) じゃあ、部屋にいるので、戻ってきたらすぐに来るよう（に）伝えて。
(2) いつも提出前にもう一度チェックするよう（に）言ってるだろう。
(3) 課長から早めに準備するよう（に）言われたので、もうコピーしてあります。

4課

01 （予定が）詰まっている
(1) ありがとうございます。是非ご一緒したいんですが、今月中は予定が詰まっているんです。
(2) 明日の午後はずっと予定が詰まっているんです。

02 （予定など）が入る
(1) いやあ、残念です。あいにく今夜は先約が入っているんですよ。また是非誘ってください。
(2) 申し訳ございません。明日(みょうにち)、明後日(みょうごにち)と出張の予定が入っておりまして、金曜日になってしまいますがよろしいでしょうか。

(3) 木曜日は先約が入っているので、金曜日はいかがですか。

03 （日時など）をずらす
(1) 来週火曜日のお約束ですが、1週間ずらしていただけないでしょうか。
(2) 今度の飲み会だけど、1時間ずらして7時からにしてくれない？
(3) 8月1日から3日まで休暇をお願いしていたんですが、1日ずらして2日から4日に変更してもよろしいですか。

04 結構(けっこう)です
(1) 今、ちょっと時間がないので。
(2) 2週間後とおっしゃいますと、25日ですね。では、それまでにこちらも社内で十分検討しておきます。

5課

01 〜んじゃないでしょうか
(1) でしたら、先に実績のあるX社に打診(だしん)したほうがいいんじゃないでしょうか。
(2) 多少リスクはあったとしても、我が社も参加すべきなんじゃないでしょうか。
(3) 彼女ならうまくチームをまとめることができるんじゃないでしょうか。

02 〜からといって、……というのは、どう（なん）でしょうか
(1) 節電をしなければならないからといって、残業を禁止するというのは、どうでしょうか。
(2) 国内ではコストがかかるからといって、全ての生産拠点(きょてん)を海外に移転するというのは、どうなんでしょうか。
(3) 営業じゃないからといって、身だしなみに気を使わなくていいというのはどうなんでしょうか。

03 どうして〜かというと、……からだ
(1) どうしてB国への工場移転が増加したかというと、A国の賃金(ちんぎん)水準が上昇(じょうしょう)したからだ。

(2) どうして女性誌の売上が伸びているかというと、ブランドとのコラボの記事が人気を集めているからです。
(3) どうして企画が却下されたかというと、具体的な数字に信憑性がなく、説得力に欠けていたからです。

04 〜ように思う／見える
(1) 財務状況は年々悪化しているように思います。
(2) 確かに、先方はこちらの提案に乗ってくるように思います。
(3) 業界全体の売上が落ちている中、Bマートは最近売上が好調のように見えます。

6課

01 本当ですか
　　省略

02 出鼻をくじく（体の部位を使った慣用句）
(1) 安値競争には勝ったが、売上は伸び悩んでしまった。
(2) 手数料として驚く程高い金額を提示された。
(3) 今度の企画を部長がなかなか認めてくれない。
(4) この問題は難しすぎて全く解くことができない。諦めよう。

03 〜はずなんですが／けど……
(1) ここに置いたはずなんだけど……。
(2) 山田くんに今日までに出すように言ったはずなんだが……。
(3) 先方は電話で2年契約だと言っていたはずなんですが……。

04 謝罪
　　省略

7課

01 まずい
(1) 最新のデータを使わないとまずいよ。
(2) 誰が聞いているか分からないんだから、居酒屋で社内情報を話すのはまずいですよ。
(3) 欠品の商品うっかりしていて注文受けちゃったんだ。

02 割高／割安
(1) うーん、確かに割安だけど、必要以上に買うのはどうでしょう。
(2) でも、昼間は料金が高いから、使い方によっては割高になるんじゃないかな。

03 やむを得ない／やむを得ず
(1) この契約は何としてでも取りたいから、ある程度先方の条件をのむのもやむを得ないだろう。
(2) 原材料が高騰したため、やむを得ず一部の商品を値上げさせていただきました。
(3) 消費者のデパート離れで売上が低迷しているから、やむを得ないんじゃない？

8課

01 いやあ
(1) いやあ、そのニュースには驚いたね。これで我が社も厳しくなるねえ。
(2) いやあ、こんなにとんとん拍子で契約にこぎ着けられるとは思っていなかったよ。
(3) いやあ、あの優良企業が粉飾決算をするなんて、ほんとに驚いたよ。

02 ～を切る
(1) 開催まで10日を切ったのに、まだ準備が終わっていないんです。
(2) 残り時間が5分を切ったけど、まだ重要なことを話していませんね。
(3) 在庫が10箱を切ったら、注文しておくように言ったはずだ。

03　原因／理由

（1）その原因／理由としては、若者の本離れ、電子書籍の出現、中古専門書店の台頭などが挙げられる。

（2）工場爆発の原因は機械の火花が薬品に引火したためらしい。

（3）御社を希望する理由は、説明会で伺った「決して、お客様を裏切らない」という言葉に共感したからです。

・落雷による信号機の故障が原因で、列車に遅れが出ている。
・急激な円高が原因となり、輸出関連企業の業績が悪化している。
・国民に勇気と希望を与えたという理由で、女子サッカーチームが国から表彰された。
・厳しい就職戦線を勝ち抜いて入社しても、自分にこの仕事は向いていないというだけの理由で、すぐに辞める社員が多いそうだ。

9課

01　余地がある

（1）交渉の余地があるはずだ。
（2）シェア拡大の余地が残されている。
（3）最新式の機械を導入することで、コスト削減の余地があるだろう。

02　〜手はない

（1）我が社では福利厚生の一環として社員が安く利用できる保養所を設けている。
（2）今まで積み上げてきた実店舗でのノウハウをネットショッピングに生かさない手はない。

03　〜のあおりを受ける

（1）円高のあおりを受けて、輸出関連企業の業績が振るわない。
（2）アメリカ経済低迷のあおりを受けて、アメリカへの輸出が大幅に減少した。
（3）株価下落のあおりを受けて、株式投資をしている多くの企業が含み損を抱えることになった。

10課

01 確か〜

(1) 確かに100ケース受領いたしました。

(2) 確か110ケース注文したはずですが。

(3) 確かこの間会費を払った気がするのですが、調べていただけますか。

　　はい、山田様、確かに今月分までお支払いいただいております。

02 〜もので……

(1) 例の工場爆発事故の影響で部品の供給がいまだにストップしているもので……。

(2) 会議の終了時間が予定より大幅に遅れてしまったもので……。

(3) 母から父が入院したと連絡があったもんで……。

03 〜と助かる

(1) 来週末までにお持ちいただけると助かります。

(2) 急ぎますので、とりあえずファックスで送っていただけると助かります。

(3) 課長、先方にお渡しする資料の準備、私がしておきましょうか。

11課

01 はい／はいはい／はあ〈返事〉

(1) はあ、でも、初期費用がかなりかかるんじゃありませんか。

(2) はい、これからは報告を徹底します。

(3) はいはい、BBAのソンさんですね。

02 恐れ入ります

(1) 店員:ただいまカードをお作りいたしますので、恐れ入ります／申し訳ありませんがこちらの用紙にご記入いただけますか。

　　客:すみません。どことどこに書けばいいのかよく分からないんですけど。

　　店員:申し訳ありません。こちらの太枠の部分にご記入をお願いいたします。

(2) 恐れ入ります。お手数をおかけして申し訳ありません／すみません。

03 ～ば幸いです

（1）アンケートにお答えいただければ幸いです。
（2）ご購入をご検討いただければ幸いです。
（3）ご満足いただければ幸いです。

04 何とか～できる／する　何とかなる

（1）そうですね。かなり厳しいとは思いますが、何とかいたします。
（2）そうですか。何とかご希望に添えるよう、各支店に問い合わせてみます。
（3）何とかしていただけませんか／何とかなりませんか。

12課

01 ま／まあ

（1）まあ、私としても上を説得してみたのですが……。
（2）ま、そんなに慌てることはないよ。Ｚ社だってそう早く動くとは思えない。
（3）ああ、そのこと。ま、とにかく座って……。

02 いえいえ

（1）いえいえ、商品の力ですよ。品質で勝負できたんですよ。
（2）いえいえ、そういうことはございません。東京支社の規模を少し大きくいたしますが、本社はこれからも大阪に置いておきます。

03 ～はもとより

（1）壊滅的な被害を受けた被災地に、国内はもとより、海外からも寄付金が集まった。
（2）先月開業したテーマパークは、子供はもとより、大人も楽しめる施設なので、幅広い年齢層の入場者でにぎわっている。
（3）ファストファッションH＆Yの製品は、若者はもとより中高年にも非常に人気がある。

04　〜分、〜

(1) あの会社は給料が高い分、それだけ仕事がきついらしい。

(2) 商品の納入が遅れた分、多少値引きすることになったよ。

(3) 円高が進行した分、輸出関連部門の業績が厳しいですね。

13課

01　〜ておきながら

(1) 会社側は5パーセントのベースアップを約束しておきながら、業績不振を理由に約束を撤回したいと言い出した。

(2) 資料をすぐにお送りすると申し上げておきながら、このように遅くなってしまい申し訳ありません。

(3) D社の社長は社員にはコンプライアンスを重視するよう言っておきながら、自分は会社の金を私的に流用していた。

02　〜てまで

(1) リスクを冒してまで海外進出する必要はないという気持ちが社長にはあるようです。

(2) 無理してまで押し通すほどのものじゃないでしょ。

(3) 俺は長期のローンを組んでまで買わなくてもいいと思っているよ。

03　〜もなんですから

(1) その件については立ち話もなんですから、後日きちんと話しましょう。

(2) 会議の時間を延長するのもなんですから、この辺で今までの議論をまとめておきましょう。

(3) こんなことを社内で話すのもなんですから、どこかで一杯飲みながら話しませんか。

14課

01　わざわざ

（1）わざわざ／せっかく時間をかけて調べたのに役に立たなくて残念だった。
（2）せっかくホームページを作ったからには、もっと活用していきたいと思う。
（3）山田さんのせっかくのご厚意だから、明日はありがたく休ませていただきます。
（4）お忙しい中わざわざご参加いただき、ありがとうございます。

02　～の／が知る限りでは

（1）私の知る限りでは、日本の製造業の国際競争力は1990年をピークに下がり続ける一方だ。
（2）私の知る限りでは、最近の日本の大学生も内向きな人ばかりではありませんよ。
（3）私が知る限りでは、多くの日本の観光地は外国人観光客をターゲットとし、ビジネスを展開しようとしています。

03　何かと

（1）昨年は、何かとご迷惑をおかけし申し訳ありませんでした。
（2）先日の見本市では、何かとお世話になりました。
（3）新店舗のオープンで、何かと忙しく、ご連絡が遅くなりました。

04　～ということではないが

（1）いやあ、すぐにということではないんだが、君には海外勤務も視野に入れておいてほしいんだ。
（2）おたくの製品が良くないということではないのですが、既に他と契約しているので、今回は見送らせていただくことになりました。
（3）うーん、だめっていうことじゃないけど、商品コンセプトが今一つはっきりしないね。

15課

01 おかげ／おかげさま
（1）義援金は、おかげ／おかげさまで目標額を突破いたしました。
（2）これはひとえに、御社のおかげです。
（3）今回のイベントはおかげ／おかげさまで大盛況のうちに終了いたしました。

02 そうですね／そうですか〈あいづち〉
（1）そうですね。
（2）そうですね。
（3）そうですか。